Liebe überwindet alle Schranken

Aldivan Torres

Liebe überwindet alle Schranken

Autor: Aldivan Torres

©2023- Aldivan Torres

Alle Rechte vorbehalten.

Reihe: Spiritualität und Selbsthilfe

Aldivan Torres, geboren in Brasilien, ist ein etablierter Schriftsteller in mehreren Genres. Bis heute hat sie Titel in Dutzenden von Sprachen veröffentlicht. Schon in jungen Jahren war er ein Liebhaber der Kunst des Schreibens und hat ab der zweiten Hälfte des Jahres 2013 eine professionelle Karriere gefestigt. Mit seinen Schriften hofft er, einen Beitrag zur Kultur von Pernambuco und Brasilien zu leisten und die Freude am Lesen bei denjenigen zu wecken, die es sich noch nicht angewöhnt haben.

Widmung

Dies ist mein fünfzigstes Buch. Ich widme sie vor allem Gott, für den alles lebt. Ich widme es meiner Mutter, meiner Familie, meinen Lesern, meinen Unterstützern und allen, die Literatur im Allgemeinen fördern.

Lasst uns ein Land mit mehr Bildung, mehr Gesundheit und mehr aufbauen Gerechtigkeit und mehr Liebe unter allen. Lasst uns jetzt ein Land der Gegenwart und der Zukunft aufbauen. Möge die brasilianische Kultur in der ganzen Welt immer mehr bewundert und respektiert werden.

Über das Buch

Dieses Buch ist eher ein Eintauchen in göttliche und weltliche Weisheit. Ihre Überlegungen erfüllen uns mit Weisheit und bringen uns dazu, über ihre guten Praktiken nachzudenken und sie anzuwenden. Es ist mehr als ein Buch, es ist ein Leitfaden zur Weisheit, Religiosität und Wohlbefinden.

Das Buch lädt alle Leser ein, die Freude an guter Literatur haben. Wir werden mehr und mehr lernen, ethische, liebevolle, fürsorgliche und großzügige Menschen mit anderen zu sein. Die Welt braucht die Jünger des Guten und ihre guten Werke, um ein besserer Ort zum Leben zu werden. Unterstütze einen unabhängigen Autor. Unterstützen Sie die Kinderliteratur. Tragen Sie dazu bei, dass er von seiner Kunst leben kann.

Liebe überwindet alle Schranken

Manche verwirklichen sich ihren Traum durch Heirat und Kinder, andere sind glücklich, Single zu sein

Wir alle haben einen freien Willen. Es hat keinen Sinn, Gott die Schuld für die Kriege in der Welt zu geben

Treffen Sie keine voreiligen Entscheidungen

Haben Sie Ihre eigene Originalität

Sei treu in den kleinen Dingen. Und du wirst das Selbstvertrauen haben, in großen Dingen treu zu sein

Wenn andere dich ablehnen, antwortest du mit deinem Wert

Schwach zu sein ist auch eine Tugend

Zu wissen, wie man seinen Freund auswählt, ist ein großes Geschenk

Remigius von Reim

Als Bischof wählen

Anwesend am Projekt

Gespräch mit König Childerich

Die Bekehrung von Clovis

Abschließende Zusammenfassung

Ist es gut für dich, dich selbst zu bewerten?

Ist es normal, eine neue Beziehung zu haben, direkt nachdem eine andere Beziehung endet?

Wen sollen wir heiraten?

Wie sieht die brasilianische Privatschule aus?

Schwarze Studierende haben nach wie vor kaum Chancen, eine höhere Bildung zu absolvieren

Warum wollen wir, dass die Welt auf uns achtet?

Wenn ein Mädchen Mutter wird, sind ihre Freunde ihre Kinder

Wie schwer es heutzutage ist, sich zu verabreden

Wir müssen Mütter respektieren, denn sie haben Geschichten zu erzählen

Eltern sollten die Liebe ihrer Kinder nicht erzwingen. Sie müssen freie Liebe geben.

Wir sollten niemals über das Leben anderer Menschen lästern, besonders wenn es anderen schadet.

Träume von Liebe sind schön, aber es ist besser, in die Realität zu fallen

Wie geht man mit einem rebellischen dreizehnjährigen Teenager um?

Es hat keinen Sinn, Streit anzuzetteln oder Hass zu kultivieren

Wenn sich jemand in einer Beziehung beschwert, ist das ein Zeichen dafür, dass er auseinanderfällt

Warum lehnst du deinen Mann ab?

Wie schlimm es ist, sich mit jemandem zu verabreden, der dich ständig korrigiert

Dem Menschen, der seine Versprechen nicht hält, ist nicht zu trauen

Wenn Sie auf Freizeit verzichten, ist es einfach, Geld zu sparen

Um in einem Unternehmen arbeiten zu können, muss der Mitarbeiter Teamgeist mitbringen

Um ein guter Arbeiter zu sein, musst du mit dir selbst im Reinen sein

Was lernen wir aus den dunklen Nächten unseres Lebens?

Sind viele Beziehungen ein Zeichen von Liebesglück?

Warum halten Beziehungen nicht ewig?

Stein des Holländers

Stein des Mädchens

Der Pferdefriedhof

Warum bereuen viele Künstler, berühmt zu sein?

Warum sollten wir keine Angst haben?

Wir sind komplette Menschen. Vermeiden Sie also den Mangel an

Wussten Sie, dass der Tod unvermeidlich ist?

Was halten Sie vom Alter?

Ich will nicht das Leben anderer Menschen kontrollieren

Glaube und Hoffnung

Was bedeutet es, romantisch zu sein?

Es war der 22. Oktober 2023. Wie üblich wache ich gegen acht Uhr morgens auf. Ich stehe auf, verlasse mein Zimmer und gehe in die Küche. Dort treffe ich meine Schwester, die bereits das Frühstück vorbereitet hat. Ich setze mich auf einen Stuhl um den Tisch und fange an, Brot und Kaffee zu essen. Es war das, was verfügbar war, und ich war froh, dort zu sein. Ich hatte vier Jahre lang von zu Hause aus gearbeitet und vermisste die Routine, jeden Morgen zur Arbeit zu gehen und nachmittags zurückzukommen. Aber warum hatte ich mich für Remote Work entschieden? Ich habe mich für diese Art von Arbeit entschieden, weil ich vor allem zwei Faktoren hatte: Ich vergaß Brian, meine große Liebe bei der Arbeit, und weil es schwierig war, mich fortzubewegen, wenn ich jeden Tag persönlich anwesend sein musste. Daher war es für mich die beste Option, mich in die Fernarbeit zu flüchten.

Dalva

Da ist jemand, der dich anruft. Es sieht so aus, als wäre es dein Abenteurerkollege.

Göttlich

Sag ihm, er soll hereinkommen und es sich gemütlich machen.

Dalva

Sicher. Ich werde ihn anrufen.

Wenige Augenblicke später taucht Renatos Silhouette vor mir auf. Wie schön er aussah. Es war ungefähr drei Jahre her, dass wir bleibende Abenteuer erlebt hatten, und das war eine große Sünde für unsere Literatur. Aber er war da, mit einem ganz besonderen Gesichtsausdruck, und das ließ mich vor Angst zittern.

Göttlich

Mein lieber Renato, wie geht es dir?

Renato

Mir geht es sehr gut. Wie steht es mit dir?

Göttlich

Seit etwa vier Jahren in der Routine der Remote-Arbeit. Das hat mich beunruhigt und auch demotiviert. Ich vermisse unsere großen Abenteuer auf der ganzen Welt. Sag mir, was gibt's Neues?

Renato

Meine Mutter will dich sehen. Sie muss mit dir darüber reden. Könntest du mich auf den Gipfel des Berges begleiten?

Göttlich

Das wäre toll. Ich werde meinen Chef um einen Monat Urlaub bitten. Nur dann kann ich Sie begleiten.

Renato

OKAY. Ich warte darauf, dass du deinen Chef anrufst.

Göttlich stand vom Tisch auf, zückte sein Handy und rief sofort seinen Chef an. Kurz gesagt, er erklärte seine dringenden Termine und wurde versichert, dass man sich um ihn kümmern würde. Dann legte er auf und kam mit einem Lächeln im Gesicht an den Tisch zurück.

Göttlich

Ich habe gerade von meinem Chef die Freigabe bekommen. Ich packe meine Koffer und wir machen uns auf den Weg zum Gipfel des Berges. Warte etwa zehn Minuten und ich packe meine Koffer.

Renato

Mach es dir bequem, mein Lieber. Vielleicht warte ich sogar noch ein bisschen. Ich weiß, dass sich die Dinge nicht auf magische Weise von selbst lösen.

Göttlich erhob sich vom Tisch, durchquerte mit wenigen Schritten den Korridor und gelangte in sein Zimmer. Es war die Auswahl der notwendigsten Dinge, die zu dieser magischen Reise führen konnten, die Großes versprach. Etwa zwanzig Minuten später war der Koffer gepackt und er war wieder mit Renato vereint. Gemeinsam verlassen sie das Haus und beginnen, den Berg Ororubá, den sogenannten heiligen Berg, zu erklimmen.

Die Besteigung des Berges

Die beiden Abenteurer begannen, den Berg auf dem gewählten Weg zu erklimmen. Schritt für Schritt sollten sie ein großes Unternehmen auf dem Gipfel des Berges beginnen, wie sie es vor zwölf Jahren getan hatten. Was hat sich seitdem verändert? Damals war der göttliche Kleine noch ein Junge und Renato noch ein Kind. Zusammen waren sie unerfahren in Bezug auf jegliches Wissen, das ihnen das Leben beibringen konnte. Jetzt, ein weiteres Jahrzehnt später, hatte sich das Blatt gewendet: Göttlich war ein reifer Erwachsener, während sein Abenteuergefährte ein junger Mann voller Träume war. Sie hatten bereits einen tollen kulturellen Hintergrund, aber sie wollten immer mehr lernen, um sich auf ihrem Weg als Lehrlinge weiterzuentwickeln. Und mit ihnen würden sich alle Leser auf die Suche machen, neue Welten kennenzulernen, Abenteuer zu erleben, verschiedene Situationen zu erleben, an die sie nie gedacht hätten. Aber wir alle hatten während seines gesamten Werdegangs immer wieder die Möglichkeit, darüber nachzudenken.

Sie absolvieren ein Viertel der Strecke und werben für den ersten Stopp der Wanderung. Göttlich öffnet seinen Rucksack und teilt Brot und Cracker mit seinem Begleiter. Während sie essen, beginnen sie einen Dialog.

Renato

Und was haben Sie in diesen drei Jahren getan, in denen wir keinen dauerhaften Kontakt hatten?

Göttlich

Ich beendete einen wichtigen Zyklus, der darin bestand, die Arbeit von Angesicht zu Angesicht aufzugeben, und begann, in meinem Regierungsjob aus der Ferne zu arbeiten. Heute ist es zehn Jahre her, dass ich im öffentlichen Dienst war.

Renato

Herzlichen Glückwunsch, Göttlich. Ich weiß, wie wichtig das für seinen Werdegang war. Aber warum haben Sie sich entschieden, aus der Ferne zu arbeiten? Was hat Sie dazu bewogen, sich dafür zu entscheiden?

Göttlich

Die Liebe zur Arbeit und zur Schwierigkeit der Fortbewegung. Ich war seit acht Jahren in Brian verliebt, der ein Kollege ist. Obwohl dieses Gefühl sehr schön war, fühlte ich mich sehr schlecht, weil ich nicht erwidert wurde. Von der Präsenzarbeit in die Fernarbeit zu wechseln, hat mich aus seinem Alltag herausgerissen und mich dazu gebracht, ihn zu vergessen. Ich war mir sicher, dass er mich nicht liebte. Brian hat mich einfach nie zu Hause besucht, auch nicht nach vier Jahren Remote-Arbeit. Wenn eine Person dich liebt, würde sie sich niemals so verhalten. Also verwarf ich Brian aus den Liebesmöglichkeiten meines Lebens. Ich fühle mich besser. Ich fühle mich glücklich und ohne zu leiden. Ein weiterer Punkt, den ich ebenfalls in Betracht gezogen habe, war, nicht mehr jeden Tag öffentliche Verkehrsmittel zu benutzen. Neben der Unfallgefahr wartete ich lange darauf, dass sich der Transport füllte, was mich verärgerte. Es war etwas, das mich sehr ermüdete. Remote-Arbeit war in dieser Hinsicht also wirklich gut. Wie steht es mit dir? Wie geht es dir?

Renato

Ich beendete das College und bekam einen Job als Verwaltungsassistent in der Stadt. Jetzt bin ich ein Mann mit Verantwortung.

Göttlich

Wann heiraten Sie?

Renato

Ich bin wie du: Ich will keine Verpflichtung. Ich habe verstanden, dass man das Leben viel mehr genießt, wenn man frei ist. Ich habe es nicht eilig zu heiraten. Ich glaube nicht, dass ich dafür geboren wurde. Ich mag es, zu feiern, Spaß zu haben, aber keine Verpflichtungen.

Göttlich

Du hast vollkommen recht, lieber Freund. Ich werde auch nicht heiraten. Ich möchte entdecken, was das Leben alles zu bieten hat. Dabei zähle ich auf Ihre Gesellschaft.

Renato

Klar. Es wird uns eine große Freude sein, Sie auf dieser großen Reise zu begleiten. Es ist an der Zeit, dass wir wieder in die Spur kommen. Wir gehen zusammen?

Göttlich

Natürlich. Jetzt gerade.

Der Spaziergang ging weiter. Ein starker Wind weht und rüttelt an den Besuchern. Eine innere Angst verzehrte sie, aber sie hielt sie auf dem Weg nach oben nicht auf. Sie wussten, dass dieser Akt eine Befreiung von all den Unsicherheiten war, die sie umgaben. Nichts anderes zählte in diesem Moment und sie fühlten sich einsam beim Gehen. Kurz darauf haben sie die Hälfte der geplanten Strecke zurückgelegt.

Von nun an konzentrierten sie sich nur noch auf das Gehen, was eine große Aufgabe war, die es zu bewältigen galt. Wie glücklich wären sie, wenn sie die Reise beendet hätten? Sie waren sich nicht sicher, ob Nichts, aber sie folgten stundenlang ihrem Abenteuerinstinkt. Bald würden sie von einem unvorhersehbaren Ausgang erfahren.

Endlich kommen sie an die Spitze. Sie setzen den Weg fort und gehen zum Haus des Wächters des Berges. Vielleicht würden sie dort einige Antworten finden. Wenn sie im Haus ankommen, klopfen sie an die Tür, bekommen Antwort und lassen sich auf einem Sofa nieder. Ein alter Bekannter stellt sich vor.

Blume

Wie geht es dir, mein lieber Göttlicher? Wie lange ist das schon her, oder?

Göttlich

Es geht mir gut. Welche gute Nachricht bringen sie Ihnen?

Blume

Ich wurde eingeladen, in Paris als Model zu arbeiten. Ich bin aufgeregt und zögere. Ich habe Angst, aber ich wollte dieses Leben auch unbedingt im Ausland kennenlernen. Was denkst du?

Göttlich

Es ist wirklich jedermanns Vermutung, nicht wahr, Renato? Es gibt so viele eindringliche Geschichten, die ich euch gar nicht erzählen kann.

Renato

Das war's. Da dachten wir, wir könnten diesem Freund helfen. Wie wäre es, wenn wir alle nach Paris fahren und dort unseren Urlaub verbringen würden?

Bergwächter

Es wären nur dreißig Tage Urlaub. Wir würden die Gelegenheit nutzen, um die besten Orte in Paris kennenzulernen. Das wäre alles sehr vorteilhaft für uns alle.

Göttlich

OKAY. Ich habe schon meine Koffer gepackt. Möge Paris auf uns warten.

Alle applaudieren der Entscheidung und packen ihre Koffer. Es wäre ein großes Abenteuer in Frankreich, einem der großen europäischen Länder.

Museum d'Orsay

Die Gruppe befand sich im zweitwichtigsten Museum von Paris. Es gibt mehrere Kunstwerke in einer für Touristen sehr gemütlichen Atmosphäre.

Göttlich

Was haben wir hier über Kunst gelernt? Wir lernen, die Arbeit jedes Künstlers zu bewundern, der uns seine Welt zeigt.

Blume

Es erinnert mich an meinen ersten Kunden aus Paris. Neben dem Modeln bin ich ein Luxus-Escort, um die Rechnungen bezahlen zu können. Er hieß Peter. Wir hingen ein paar Mal zusammen ab und er war sehr zuvorkommend. Er gilt als guter Süßwein aus Paris.

Renato

Auf diesen Touren gibt es immer ein Problem. Aber wenn du glücklich bist, wer sind wir, dass wir dich kritisieren?

Bergwächter

In der Regel muss sich die LGBTI-Gruppe prostituieren, um in diesen Oasen überleben zu können. Nichts Ungewöhnliches. Das Gute ist das Museum. Pure Schönheit und unvergleichliche Kultur.

Göttlich

Ja. Es ist etwas Besonderes, diese Ereignisse und Momente zu respektieren. Und wir sind hier, um dich zu unterstützen, liebes Blümchen. Erzählen Sie uns immer wieder von Ihren Liebesabenteuern. Wir würden uns freuen, von Ihnen zu hören.

Blume

Danke, mein Lieber. Ich liebte die Tour als eine der besten, die ich je hatte. Auf geht's zur nächsten Tour.

Eiffelturm

Die Gruppe befand sich in einem Restaurant vor dem Eiffelturm. Sie fühlten sich frei und frei, eine Weile zu reden.

Göttlich

Wenn man es von hier aus sieht, wie wunderbar dieser Turm ist. Es ist wirklich ein Privileg, an dieser Reise teilzunehmen. Wie fühlst du dich, kleine Blume?

Blume

Ich erinnerte mich an meine letzte Liebesaffäre. Er war ein großer Meister wie der Reichtum der Kunst dieses Turmes. Frankreich ist wirklich ein besonderes Land.

Renato

Und wie besonders auch Französinnen sind. In der Tat ist dieses Land etwas Besonderes und atmet Kultur.

Bergwächter

Der Turm kann das emotionale Gleichgewicht repräsentieren, das wir im Angesicht des Lebens haben. Wenn wir einen Teil übertreiben, verlieren wir mit Sicherheit die Richtung des Lebens. Das Geheimnis, um erfolgreich zu sein, besteht darin, ein bisschen von allem zu probieren, und zwar in Maßen. Es ist vielleicht eine wichtige Entscheidung, die uns erwartet. Wenn wir wissen, wie wir die beste Entscheidung treffen, können wir im Leben glücklich sein.

Göttlich

Der Turm leitet uns an, diese Nacht mit viel Lebendigkeit zu genießen. Mögen wir heute leben, ohne uns Gedanken darüber zu machen, was die Zukunft bringt. Lass uns jetzt glücklich sein!

Blume

Und dass wir mit unseren Besonderheiten zufrieden sind. Möge jeder das Recht haben, glücklich zu sein, unabhängig von Rasse, Glauben, Geschlecht oder Religion.

     Die Nacht schreitet voran und unsere Freunde bleiben im Restaurant, um gut zu essen und zu trinken. Es war ein weiteres Kapitel des wunderbaren Paris.

Louvre-Museum

Göttlich

Liebte die Museumsausstellung. Es ist, als wäre ich mitten in der Weltkultur, so reich ist das Museum.

Renato

Jedes Foto, das wir gemacht haben, war großartig. Es ist ein unvergesslicher Ort, der in unseren Herzen bleiben wird.

Blume

Der Louvre ist eine weitere Facette von Paris. Wir fühlten uns wohl, als wäre ich mit einer der besten Freundinnen zusammen. Einfach charmant.

Bergwächter

Dieser Besuch war ein großes Ereignis in unserem Leben. Mit der Kultur des Museums, in den Gefühlen, die bereit sind, Paris, die große Hauptstadt Frankreichs, zu erkunden.

Nach einem ganzen Tag voller Besichtigungen verabschiedet sich die Gruppe vom Museum und kehrt nach Hause zurück. Die bevorstehenden Ereignisse wurden von allen eifrig bewacht.

Kathedrale Notre-Dame

Die Kathedrale von Notre-Dame ist fantastisch und birgt viel Geschichte. Eine Einladung, die französische Kultur kennenzulernen.

Göttlich

Eine Geschichte, die sogar von den Autoren erzählt wird. Es ist ein Eintauchen in die Weltgeschichte durch wunderbare Empfindungen.

Blume

Dieser Ort verweist auf die Geschichte. Dieser Ort verweist auf Reflexion, Gesellschaft und Entscheidungen. Es ist eine große Seite der Geschichte.

Bergwächter

Wir erinnern uns an Filme und Bücher über dieses Denkmal. Wir erinnern uns an unsere eigenen Erinnerungen an diese kolossale Erfahrung. Sehr schön, hier zu sein.

Renato

Unser jugendlicher Geist trifft auf die französische Vergangenheit und das ist ein bisschen beunruhigend. Es ist ein bisschen schwer, mit diesen Emotionen umzugehen. Aber wenn wir erkennen, dass die Magie in uns selbst liegt, fühlen wir uns befreit, zu lieben und zu leben.

Es war ein sehr fruchtbarer Tag, an dem sie das Glück hatten, diesem historischen Denkmal gegenüberzustehen. Und sie würden mit mehr Glück, Angst und Aufregung zum nächsten Ziel übergehen. Ich bin froh, dass sie das alles durchlebt haben.

Abschließende Zusammenfassung

Die kleine Blume fand ihr Glück in der Fremde. Sie lebte ihr Leben, als hätte sie nie die Gelegenheit gehabt, so zu sein, wie sie war. Bei all den Schwierigkeiten erkannte ich die Hilfe von Göttlich in diesem ganzen Prozess. Für eine Welt mit mehr Freiheit, Toleranz und Liebe zu den Menschen.

Dieser Prozess des Wissens heilt uns

Was ist Leben? Was ist der Sinn des Lebens, des Lebens und der Beziehungen? Welchen Sinn hat es, Erfüllung in unserem Leben zu suchen? Tötet es diesen Mangel, der uns erstickt? Es gibt viele und unterschiedliche Faktoren, die uns dazu bringen, eine Beziehung zu jemandem aufzubauen und zu glauben, dass dies das Richtige ist.

Wir leben diesen Prozess der Selbsterkenntnis in breiter Form während des gesamten Lebens. Wir leben den Schmerz des Scheiterns, die Freude am Erreichten, wir leben die Freude an Beziehungen und auf intuitive Weise leben wir unsere

Frustrationen erhobenen Hauptes. Vielleicht ist das, was wir im anderen suchen, nicht so sehr Komplementarität. Vielleicht suchen wir die Antworten auf so viele Dinge, die wir suchen, und sehen sie als bedeutungslos an. Vielleicht sind es Wissen und Weisheit, die uns bei jedem Schritt der Evolution in dieser Welt leiten.

Dieser Prozess des Wissens heilt und transformiert uns. Es ist eine Befreiung zu verstehen, dass wir unabhängig sind und dass unser Freund, Verlobter oder Partner nicht für dieses innere Gefühl verantwortlich ist, das wir haben und das wir Glück nennen. Vielleicht ist es also ein physisches, psychisches und menschliches Bedürfnis, sich mit jemandem zu verabreden. Aber niemals, unter keinen Umständen, eine Abhängigkeit von äußerem Glück. Deshalb sage ich: Verheiratet oder alleinstehend, Glück ist deine eigene Konstruktion.

Lass dich nicht von den Blicken anderer beeinflussen

Geben Sie nicht auf die Meinungen anderer. Diejenigen, die dich kritisieren, wollen nur das Schlimmste von dir sehen. Tue deinen eigenen Willen, auch wenn er schlimme Folgen hat. Wenn man lebt und lernt, ist man wirklich glücklich. Gehen Sie Ihren eigenen Weg mit Mut, Kraft und Mut. Lassen Sie Ihre Geschichte zählen.

Lassen Sie sich nicht von einer gescheiterten Ehe zurückhalten

Wenn dein Partner dich in irgendeiner Weise schlecht behandelt und du aufgrund finanzieller Abhängigkeit oder deiner Kinder in der Ehe bleibst, sage ich dir: Es lohnt sich nicht. Es zahlt sich aus, mit sich selbst im Reinen zu sein, seinen Job zu haben, seine finanzielle Unabhängigkeit zu haben, frei zu sein und glücklich zu sein. Wenn dir etwas weh tut, schiebe es weg.

Das Ende einer Ehe ist nicht das Ende der Welt. Es ist erst der Anfang einer neuen Zeit, in der Sie nach persönlicher Verbesserung streben werden. Es ist eine Öffnung zu neuen Möglichkeiten, wo du dein wahres Glück finden kannst. Vielleicht geht alles wieder schief, aber wenn du es nicht versuchst, wirst du es nie erfahren. Also mach weiter, bis du es kapierst.

Wenn uns jemand nicht wertschätzt

Wenn uns jemand nicht wertschätzt, ist das eine offene Wunde und ein Schmerz, der nie endet. Aber um diesen perversen Kreislauf der Sucht zu durchbrechen, müssen wir neue Situationen in unserem Leben erleben. Wir müssen die Größe unserer des eigenen Seins durch ständige Meditation und Reflexion.

Wenn uns jemand nicht wertschätzt, ist es notwendig, Ablehnung zu überwinden und sich der großen Liebe Gottes hinzugeben, die uns alle umgibt. Es braucht Glauben, um mit einer inneren Stärke zu finden, die nur wir kennen. Und ja, diese Kraft des Universums kann uns völlig verändern.

Wenn wir lieben, wollen wir immer mit der Person zusammen sein, die wir lieben

Wenn wir einen Menschen lieben, wollen wir immer zusammen sein und tolle Momente mit ihm teilen. Dieser dauerhafte Kontakt ist nicht immer möglich. Manchmal haben wir viele Verpflichtungen, die uns von unserem geliebten Menschen entfernen. Aber wenn es an der Zeit ist, die Person wieder zu treffen, kehrt unser Glück schnell zurück.

Gemeinsam können wir große und kleine Momente erleben. Aber für diejenigen, die wie ich Single sind, vergeht das Leben schnell ohne viele Neuigkeiten. Als Single haben wir weniger Verpflichtungen und weniger Probleme, mit denen wir uns beschäftigen müssen. Es ist eine Erleichterung zu wissen, dass wir nur auf uns selbst angewiesen sind.

Zusammensein ist nicht immer ein Zeichen guter Freundschaft. Manchmal kommen die schlimmsten Dämonen, um uns in unserem eigenen Zuhause zu quälen. Es sind also die Handlungen der Person, die uns zeigen, was sie wirklich sind. Beobachte dies und gehe deinem Leben ohne große Sorgen nach.

Wenn dir jemand vorschlägt, einen Beitrag zu leisten, dann behandle ihn nicht schlecht

Wenn dir jemand zu irgendeinem ungünstigen Zeitpunkt in deinem Leben geholfen hat, sei dankbar dafür. Setze niemals die Handlung oder den Urheber der Transformation in deinem Leben herab. Undankbare Menschen sind die schlimmsten Menschen, denen wir im Leben begegnen können. Das sind Menschen, die sich nicht an die Vergangenheit erinnern und daran, wie sehr sie uns brauchten.

Zahle die Ware, die du erhalten hast, zurück, auch wenn die andere Person sie nicht braucht. Machen Sie Ihre Handlungen zu großen Momenten der Nächstenliebe, der Liebe und des Altruismus. Hinterlassen Sie Ihren Stempel in der Welt, solange Sie leben und gute Zeiten teilen können. Es lebe die Liebe, wenn man sie darf. Wenn Sie ein hohes Alter erreichen, werden Sie eine Geschichte zu erzählen haben. Wenn Sie ein hohes Alter erreichen, werden Sie sich an die guten Zeiten erinnern, die Sie im Leben hatten.

Um eine gesunde Ehe zu führen, müssen Sie viel reden und Kompromisse eingehen

Eine Ehe ist eine Kombination aus zwei Menschen, die versuchen, in Harmonie zusammenzuleben. Um den Frieden miteinander zu wahren, muss man reden, Kompromisse eingehen und seine Wünsche erfüllen lassen. Diejenigen, die herrisch und unnachgiebig sind, sind am Ende allein. Wer sich nur für Geld interessiert, hat auch kein glückliches Leben.

Lohnt es sich, eine Ehe zu führen? Für diejenigen, die eine Familie gründen wollen, kann die Frage der Ehe eine gute sein. Aber für diejenigen, die ihre Freiheit in erster Linie haben wollen, ist es vielleicht die beste Option, Single zu sein. Wenn Sie Single sind, können Sie mit mehreren Partnern ausgehen, ohne eine Erklärung abzugeben. Wer ledig ist, hat weniger Verpflichtungen gegenüber potentiellen Nachkommen. Es ist also ein Fall, über den man nachdenken sollte.

Es ist gut, finanziell und emotional unabhängig zu sein

Lassen Sie niemals zu, dass Ihr Lebensunterhalt von anderen Menschen abhängig ist. Es ist demütigend, von irgendjemandem, um Almosen zu betteln, um zu überleben. Wenn Sie jung sind, tun Sie es. Es ist so schön, zu arbeiten und seine Sachen mit dem Schweiß zu erobern. Es ist so schön, einen Beitrag zur Gesellschaft zu leisten, indem man ein Mitarbeiter ist, der seinen Verpflichtungen nachkommt.

Emotionale und finanzielle Unabhängigkeit zu haben, ist ein großer Segen. Es fühlt sich gut, frei und kraftvoll an. Es geht darum, sicherzustellen, dass es dir trotz deines Unglücks gut geht. Es ist also unsere beste Errungenschaft aller Zeiten.

Die Familie deines Partners zu akzeptieren, ist das Minimum für eine gute Beziehung

Versuchen Sie, eine gute Beziehung zu den Familienmitgliedern Ihres Partners zu haben. Es ist das Mindeste, was man von einer dauerhaften und vorteilhaften Beziehung erwarten kann. Wenn du keinen von ihnen magst, überdenke deine Entscheidung zu heiraten. So sehr dein Partner dich auch mag, er wird immer an der Seite seiner Familie sein, also frag ihn nicht, sich zu entscheiden.

Nehmen Sie an Familienfeiern teil und seien Sie immer freundlich und höflich. Zeigen Sie sich von Ihrer besten Seite und versuchen Sie, mit allen auf eine freundliche Art und Weise zu sprechen. In diesen Momenten haben Sie die Möglichkeit, mit allen besser auszukommen.

Wisse, wann und wie du handeln musst, um deinem Partner zu gefallen. Du musst ihm nicht die ganze Zeit Aufmerksamkeit schenken, aber wann immer es möglich ist, sei bei ihm und helfe ihm bei seiner Arbeit mit einem Lächeln im Gesicht. Es ist die Kameradschaft, die eine Beziehung prägt und sie in ein großes Paradies verwandelt. Machen Sie mit Ihren Plänen und Projekten weiter, Sie sind in der Lage, sie alle zu verwirklichen.

Jeder hat eine Liebe, die aus vergangenen Leben stammt

Wer hat noch nicht in seinem Leben geliebt? Wer hat nicht schon einmal für die Liebe gelitten? Wer wünscht sich nicht schon einmal eine glückliche Ehe? Wenn Sie eine dieser Fragen bejaht haben, dann sind Sie ein sensibler Mensch.

Wir alle hatten eine Liebe aus früheren Leben. Vielleicht eine Liebe, die sich nicht erfüllte. Beide reisten in der Zeit zurück und trafen sich in diesem Leben wieder. Und Manchmal erfüllen sie sich den Wunsch, zusammen zu sein. Gemeinsam glücklich zu sein. Aber manchmal dauert es nicht immer lange. Manchmal hält wahre Liebe nicht länger als drei Jahre. Manchmal ist es einfach ein schönes Lernen, worum es im Leben geht. Und wenn du dieses Experiment beendet hast, bist du vollkommen erfüllt.

Diejenigen, die sich nie erlaubt haben, zu lieben, werden nie wissen, was eine Liebe aus einem früheren Leben ist. Es geht einfach darum, den anderen anzuschauen und ein unerklärliches Gefühl von Liebe, Zuneigung und Anziehung zu haben. Es ist einfach magisch zu verstehen, wie Liebe in unserem Leben am Werk ist. Die beste Antwort darauf liegt in uns selbst und dem, was wir für unser Wohlbefinden als wichtig erachten. Wenn du die Liebe gefunden hast, genieße sie, solange noch Zeit ist. Mögen sie glücklich sein, solange es Liebe gibt.

Vielleicht funktioniert Liebe für uns nicht, weil wir zu niemandem eine Affinität haben

Wir sind komplexe Menschen. Wir haben einen komplexen Verstand. Und vielleicht ist das der Grund, warum du mit niemandem trainierst. Da andere Wahrnehmungen und Affinitäten haben als du, braucht es nicht das Minimum, um eine Beziehung aufrechtzuerhalten. Und denken Sie daran, wie kompliziert es heutzutage ist, eine romantische Beziehung zu führen. Es sind finanzielle Verpflichtungen, es sind Verpflichtungen, Güter zu teilen, der Materialismus der Dinge, unsere Verantwortung füllt unser Leben, wir haben wenig Zeit, die Gesellschaft des anderen zu genießen.

Vielleicht funktioniert Liebe nicht für uns, weil wir eine mentale Schwingung haben, die nicht die richtige Person anzieht. Und gibt es wirklich so etwas wie die richtige Person? Mehr oder weniger. Es gibt Menschen mit mehr oder weniger Affinität, aber nie perfekt. Egal, wie sehr du jemanden magst, es wird immer etwas geben, das dir missfällt. Und dann liegt es an Ihnen, zu entscheiden, ob das Zusammenleben mit dieser Person für Sie von Vorteil ist.

Vielleicht ist die Liebe nicht in dein Leben gekommen, weil du sie einfach nicht zugelassen hast. Aufgrund früherer Frustrationen hast du die Liebe in deinem Leben blockiert. Du versuchst einfach nicht einmal, die andere Person kennenzulernen, weil du voller Misstrauen bist. Ich verstehe dich. Die Angst vor dem Leiden lässt dich wieder erstarren. Die Angst, sich zu verraten und nicht erwidert zu werden, ist größer. Aber wenn du verstehen würdest, dass Menschen nicht gleich sind, dann wärst du immer offen für die Liebe und würdest unzählige Male versuchen, glücklich zu sein. Ja, Liebe ist wirklich komplex.

Der Wille zur Veränderung allein reicht nicht aus

Manchmal ist man mit sich selbst nicht zufrieden. Manchmal gibt es etwas an dir, das dich stört. Aber Sie haben seit Jahren aus Bequemlichkeit nichts mehr unternommen. Dann ist es an der Zeit, aktiv zu werden und mehr Glück in Ihr Leben zu bringen. Versuchen Sie, auszugehen, zu lesen, zu reisen und Spaß zu haben. Versuchen Sie, ein aktiver Teil des Lebens zu sein. Gib deine beste Version von dir selbst.

Halten Sie sich nicht nur an das Versprechen. Denke daran, dass es viele Menschen gibt, die von dir abhängig sind. Strebe also danach, jemand Besseres für dich selbst und alle um dich herum zu werden. Ihr werdet euer gutes Glück haben, weil ihr wisst, dass ihr euch weiterentwickelt habt und zu einer gerechteren, unterstützenderen und angenehmeren Welt beigetragen habt.

Wir müssen alle voranschreiten, ohne an das Schlimmste zu denken

Das Leben ist eine große Herausforderung für uns alle. Und das Nachdenken über die Probleme des Lebens kann uns schwer treffen. Denken Sie weniger über die Probleme nach. Lebe das Leben mit Freude, genieße die Momente, denn sie sind einzigartig.

Wenn sie die ganze Zeit das Schlimmste denken würden, wäre unser Leben ein großer Stress. Lassen Sie uns also jeden Schritt gehen, um unsere Projekte besser zu reflektieren. Begeben Sie sich vorsichtig auf die Suche nach Ihren Träumen.

Wir müssen alle voranschreiten. Wir alle sollten den Glauben, den wir in uns tragen, und auf das Beste im Leben hoffen. Selbst wenn das Schlimmste passiert, müssen wir auf alle Eventualitäten vorbereitet sein. Dann geht das Leben ohne weitere Erklärung weiter. Spüren Sie einfach, wie diese Lebensfreude in Ihre Brust fließt. Du kannst, solltest und verdienst es, glücklich zu sein.

Manche verwirklichen sich ihren Traum durch Heirat und Kinder, andere sind glücklich, Single zu sein

Die meisten Menschen träumen von einer glücklichen Ehe und schönen Kindern, die sie großziehen müssen. Das ist ihr Glück. Dein Glück kann aber auch Single sein. Was wir nicht schaffen können, ist ein Standard des Glücks, dem jeder folgt. Keiner ist wie der andere. Jeder hat seine eigenen Ängste, Traumata und Besonderheiten.

Unser Glück kann darin bestehen, alleine, weit weg, auf einer Insel oder sogar auf einem Bauernhof zu leben. Es kann

Arbeit sein oder einfach nur Zeit mit Spielen verbringen. Jeder ist glücklich nach dem, was er verdient. Neide also niemanden um sein Glück. Jeder von uns hat seinen ganz eigenen Glanz.

Wir alle haben einen freien Willen. Es hat keinen Sinn, Gott die Schuld für die Kriege in der Welt zu geben

Es gibt zwei andauernde Kriege auf der Welt: den Krieg zwischen der Ukraine und Russland und den Krieg zwischen Israel und Palästina. Ohne auf die Vorzüge der Frage der Kriege einzugehen, liegt die Verantwortung für Kriege beim Menschen selbst. Gott hat den Planeten in unsere Hände gegeben. Gib also Gott nicht die Schuld für die Handlungen der Menschen. Wir sind die wahren Schuldigen.

Die Welt muss lernen, Frieden zu pflegen und Kriege abzuschaffen. Die Welt muss Liebe, Vergebung, Nächstenliebe und Großzügigkeit lernen. Wir müssen einen Unterschied in der Welt machen, indem wir die Saat des Guten säen. Sei gut in deiner Einstellung zu dir selbst und anderen.

Treffen Sie keine voreiligen Entscheidungen

Hass und Wut sind schlechte Ratgeber. Es ist sehr sinnvoll, die Situation angenehmer werden zu lassen und erst dann eine endgültige Entscheidung zu treffen. Wenn wir das Problem kaltblütig analysieren, können wir einen richtigen Gedanken darüber haben, was in jeder Frage tatsächlich zu tun ist. Und manchmal ist die beste Lösung genau das Gegenteil von dem, was Sie dachten.

Übe dich in Vergebung und Barmherzigkeit. Tue Gutes, ohne auf wen zu schauen. Hisst die Flagge des Friedens, des Altruismus und der Verständigung. Was es dir ermöglicht, glücklich zu sein, ist, anderen Gutes zu tun. Das Gute, das wir tun, wird uns selbst mehr Gutes tun als anderen. Denken Sie gerne darüber nach.

Sei wer du wirklich bist. Lassen Sie sich nicht von den Meinungen anderer Leute abschrecken. Wenn wir uns von dem mitreißen lassen, was andere wollen, wird uns das ein großes Problem bereiten. So sehr es deine Realität auch verletzt, sei in jeder Situation du selbst.

Aber es stimmt schon, dass wir oft aus Angst dem gesellschaftlichen Druck nachgeben. Manchmal haben wir keinen Ausweg und fangen an, eine Figur zu leben. Es zerstört unsere Psyche. Womit wir umgehen müssen, ist die Angst vor Akzeptanz, und das muss eine gemeinsame Haltung mit der Familie sein.

Wenn es notwendig ist, anderen zu gefallen, wie es bei mir der Fall ist, dann bleibt nur Reue. Es ist ein Leben, das für lange Zeit verloren ist. In meinem Fall macht es keinen Sinn, überhaupt zu reden, weil meine Geschwister engstirnig sind. Um mit ihnen leben zu können, muss ich also unterwürfig sein. Es entwertet jede Art von Liebe, die ich haben mag. Das ist das Traurigste an meinem Werdegang. Vielleicht kann ich mich eines Tages von all dem befreien. Das hoffe ich.

Sei treu in den kleinen Dingen. Und du wirst das Selbstvertrauen haben, in großen Dingen treu zu sein

Wir lernen Freunde in den kleinen Schwierigkeiten kennen. Wenn dich jemand deinem Schicksal überlässt, dann bist du nicht vertrauenswürdig. Folgen Sie der Seite wahrer Freunde, derer, die sich um Sie kümmern. Aber lassen Sie sich nicht täuschen. Solche Freunde sind selten.

Pflegen Sie gute Freundschaften, denn es ist mehr wert als Geld. Pflegen Sie gute Beziehungen, denn sie erleichtern uns die

Arbeit. Wer hat noch nie etwas in der Bank lösen müssen und durch Wissen sein Problem nicht schnell gelöst bekommen? Das war's. Hier ist der Beweis dafür, dass gute Beziehungen Früchte tragen.

Der treue Freund ist derjenige, der dich in den besten und in den schlimmsten Zeiten unterstützt. In diesen Momenten erkennen wir, wer wirklich an unserer Seite ist. Aber sei nicht traurig, wenn du alleine bist. Gott verlässt uns in keiner Situation. Wahrlich, Gott ist jedermanns bester Freund.

Wenn andere dich ablehnen, antwortest du mit deinem Wert

Es gab mehr als zehntausend berufliche und Liebesablehnungen. Aber das hat mich nicht zerstört. Ich habe in mir selbst meine wahre Liebe gefunden, denn ich setze mich selbst an die erste Stelle. Ich habe auch meine Religiosität entwickelt und sehe Gott in meinem Leben am Werk, der mich wie einen Sohn liebt. Ich bin so dankbar für alles, was Gott mir gegeben hat.

Danke also denen, die dich zurückgewiesen haben. Sei also dankbar, dass du ein Problem losgeworden bist. Du kannst ohne Liebe leben. Ohne Gott, Gesundheit und Geld kann man einfach nicht leben. Aber ohne Liebe kannst du überleben. Ich danke dir, dass du dich selbst wertschätzt und siehst, dass dein Glück nur von dir abhängt und von niemandem sonst. Eine Führungskraft ist emotional ausgeglichen, weiß, wie sie zu handeln hat, und hat die besten Pläne für die Zukunft. Sei die beste Version von dir selbst.

Schwach zu sein ist auch eine Tugend

' Niemand ist immer stark. Wir alle haben einen Moment der Schwäche, in dem wir die Unterstützung anderer Menschen brauchen. Und es ist keine Schande, auf diese Hilfe angewiesen zu sein. Manchmal ist unser Versagen so groß, dass wir uns zerrissen fühlen. Dann müssen wir aus den Trümmern auferstehen und wiedergeboren werden.

In Gott finden wir die Kraft, die wir brauchen, um mit Glauben auf unsere Ziele zuzugehen. Ja, es ist möglich, unsere Träume mit harter Arbeit, Hingabe und Liebe für andere zu verwirklichen. Lasst uns also unsere Stimmung heben und mit viel Rennen nach vorne gehen. Sie sind bereits ein großer Gewinner.

Zu wissen, wie man seinen Freund auswählt, ist ein großes Geschenk

Sei wählerisch mit deinen Freunden. Verabrede dich mit jemandem, den du magst, der eine sexuelle Affinität hat und der dich spirituell vervollständigt. Geld ist in diesem Fall nicht so wichtig. Obwohl sich die Menschen nur auf Menschen mit dem gleichen finanziellen Standard beziehen, würde ich sagen, dass dies ein großer Verlust ist. Es gibt Maurer, Putzfrauen, Arbeiter, die gute Ehemänner sein könnten, aber keine Chance haben, jemanden zu finden.

Was das Heiraten angeht, überlege dir gut, ob du das wirklich für dein Leben willst. Heiraten ist eine große Verantwortung und kann ein großes Problem sein, wenn wir die falsche Person heiraten. Es kann ein durchschlagender finanzieller und sentimentaler Verlust sein. Seien Sie also sehr vorsichtig bei Ihren sentimentalen Entscheidungen.

Remigius von Reim

Als Bischof wählen

Bischof

Ich habe einige schöne Neuigkeiten, die ich mit Ihnen teilen möchte. Wegen deiner edlen Talente habe ich dich zu meinem Nachfolger erwählt. Was denkst du?

Remigius

Das ist eine große Verantwortung. Sind Sie sicher, dass ein Zweiundzwanzigjähriger zu einer solchen Mission fähig wäre?

Bischof

Davon bin ich überzeugt. Ich beobachte dich schon lange und merke, dass du ein vorbereiteter Mann bist. Deshalb gebe ich Ihnen heute diese Stelle, weil ich alt bin und nicht mehr arbeiten kann.

Remigius

Also akzeptiere ich. Vielen Dank für Ihr Vertrauen. Ich werde mein Bestes geben.

Alle applaudieren der Wahl. Das war der Beginn der Karriere des jungen Mannes als Bischof. Möge Gott Ihre Mission und Ihr Projekt segnen.

Leandra

Herr Bischof, ich komme, um Sie um Rat zu fragen, ich bin nicht in einer guten Phase.

Remigius

Was ist los, Schatz? Erklären Sie es weiter.

Leandra

Ich habe Probleme in meiner Ehe. Ich hatte Streit mit meinem Mann. Manchmal bin ich diejenige, die sich über irgendetwas ärgert. Manchmal ist er derjenige, der immer beschäftigt ist. Wir hatten eine glückliche Beziehung. Aber mit der Zeit scheint es, als würde das Auseinanderfallen.

Remigius

Ihre Beziehung ist zur Routine geworden. Um dies zu überwinden, müssen wir innovativ sein. Gehe mit deinem Mann auf Reisen. Probieren Sie neue Dinge aus. Versuchen Sie, Ihre Fehler zu verzeihen. Sei offen dafür, deinem Mann zuzuhören. Glauben Sie mir, die Dinge lassen sich noch managen.

Leandra

Ich habe mich sehr gefreut, von dir zu hören, Vater. Ich werde alle Ihre Ratschläge anwenden.

Remigius

Gut gemacht, mein Lieber. Geht in Frieden und Gott sei mit euch. Sie werden sehr glücklich sein.

Remigius erfüllte seine Pflichten als Bischof, Vater, Seelsorger und Seelsorger gemeinsam an die Gemeinschaft. Er hatte den Ruf, ein intelligenter und überzeugender Mann zu sein. Sicherlich war seine Ernennung zum Bischof die beste Wahl von allen gewesen.

Gespräch mit König Childerich

Childerich

Wem verdanke ich die Ehre eines so illustren Besuchs in meinem Schlösse?

Remigius

Du bist ein guter Mensch. Du bist ein gerechter König mit allen Bürgern. Aber alles, was bleibt, ist, diese falschen Götter beiseite zu legen.

Childerich

Ich verstehe das nicht ganz. Ich habe meine eigenen Götter und ich mag sie. Ich wollte, dass das respektiert wird.

Remigius

Wenn Sie wüssten, welch große Liebe Jesus Christus zu uns hat und wie der Schutz der Heiligen Jungfrau über die Gläubigen ist, würden Sie erstaunt sein. Es ist die wahre Liebe, die nur Gott geben kann.

Childerich

Ich respektiere deine Denkweise, aber ich habe einen anderen Glauben. Ich glaube an andere Dinge. Ich werde alle Christen auf die beste Weise behandeln, aber es ist schade, dass ich mich nicht bekehre. Ich fühle mich noch nicht bereit dafür.

Remigius

OKAY. Ich werde nicht darauf bestehen. Wenn Sie sich bereit fühlen, rufen Sie mich einfach an. Ich werde mit Spannung auf diesen Erfolg warten.

Der Bischof zog sich zurück und ging seinen Geschäften nach. Einige Zeit später verbreitete sich die Nachricht, dass der König gestorben war. In der Thronfolge wurde sein Sohn namens Clovis gewählt.

Die Bekehrung von Clovis

Remigius arrangierte ein Treffen mit Chlodwig, um sein Ziel zu verfolgen.

Remigius

Siehe, ich komme, um den König der Könige und den Herrn der Herren auszurufen. Jesus Christus war ein großer Prophet im Römischen Reich. Er ist der Sohn Gottes, der auf die Erde herabgekommen ist, um uns das göttliche Wort zu lehren. Mit seinen großen Lehren hat Jesus uns gezeigt, dass er auf der Suche nach den größten Sündern war. Was sagst du?

Clovis

Wie beweist dieser Jesus, dass er der Sohn Gottes ist?

Remigius

Für die Größe seiner Lehren und für seine Wunder. Jesus verwandelte Wasser in Wein, erweckte Tote, heilte Blinde und Krüppel, vergab der Prostituierten. Jesus zeigt damit, dass er der Gott der Ausgeschlossenen ist.

Clovis

Eindrucksvoll. Was geschah mit Jesus?

Remigius

Er wurde von den Juden ermordet, stand aber am dritten Tag wieder auf. Er ist gegenwärtig im Leben von uns allen, die an ihn glauben. Wie wäre es, wenn du dir diesen Glauben zu eigen machst?

Clovis

Nach allem, was ich gehört habe, glaube ich das wirklich. Wie kann ich in die christliche Religion eintreten?

Remigius

Ich werde dich im Fluss taufen. Du empfängst den Heiligen Geist und wirst Mitglied unserer Kirche.

Eine Woche später ließen sich der König und seine Truppen von Remigius taufen. Er zeichnete sich als großer Hirte der Seelen aus, für Menschen, die nach einem Sinn des Lebens suchten. Das war sehr gut, denn es brachte ihn in eine herausragende Position.

Abschließende Zusammenfassung

Remigius hat als Bischof großartige Arbeit geleistet. In den siebzig Jahren seiner Mission verbreitete er das göttliche Wort unter den Menschen, die Christus nicht kannten. Er führte auch karitative Projekte durch und unterstützte die Bedürftigsten. Er wird am 13. Januar gefeiert und ist einer der wichtigsten Heiligen der katholischen Kirche.

Ist es gut für dich, dich selbst zu bewerten?

Der interne Bewertungsprozess lässt uns Mängel und Qualitäten überprüfen. Dies ist effektiv, um Fehler zu korrigieren und mehr Treffer zu erzielen. Es ist eine Zeit der Meditation, der Reflexion, der Selbstfürsorge und der Selbstliebe. Du musst dich selbst wertschätzen, dich selbst an die erste Stelle setzen und sehen, was das Beste für dich ist.

Mit der richtigen Bewertung haben Sie einen Weg, der Ihren Bedürfnissen am besten entspricht. Dann wirst du in der Lage sein, die besten Entscheidungen deines Lebens zu treffen. Mach weiter und sei stolz darauf, wer du bist.

Ist es normal, eine neue Beziehung zu haben, direkt nachdem eine andere Beziehung endet?

Ja, das ist nach heutigen Maßstäben normal. Menschen neigen dazu, andere extrem leicht abzulehnen. Es ist die Zeit, in der die Menschen immer weniger lieben und egoistisch, arrogant, arrogant und stolz sind. Es ist eine materielle Welt, in der jeder für sich selbst ist.

Es gibt keine Regeln, wenn man eine Beziehung beendet. Aber ich würde sagen, dass es in der Vergangenheit mehr Gefühl und mehr Respekt für die Geschichte des anderen gab. Es war eine bessere Welt mit Menschen, die sich gegenseitig mehr liebten und respektierten. Die Lehrer wurden von den Schülern respektiert, anders als heute. Bildung, Gesundheit und Höflichkeit wurden also von der neuen Zeit beeinflusst. Hoffentlich wird das eines Tages besser.

Wir sollten jemanden heiraten, mit dem wir uns gut fühlen. Wenn Sie älter werden und alle Dinge für Sie schwierig werden, bleibt nur noch die Gesellschaft Ihres Partners. Und wenn du keine Liebe dafür hast, wirst du es einfach nicht ertragen. Denn alles andere ist vergänglich.

Aber wenn du mir erlaubst, meine Meinung zu sagen, ist es besser, Single zu sein. Besser ist es, seine Freiheit zu haben und niemandem Rechenschaft über seine Handlungen ablegen zu müssen. Es ist nicht gesund, von jemand anderem kontrolliert zu werden. Es ist nicht gesund, mit der Last der Verantwortung zu leben. Es ist nicht gesund, aufzuhören, glücklich zu sein, um dem anderen zu gefallen. Denk darüber nach.

Wie sieht die brasilianische Privatschule aus?

Die brasilianische private Grundschule ist qualitativ viel besser als die öffentliche Schule. Wir haben bessere Lehrmaterialien, qualifiziertere Lehrer, bessere Investitionen. Dadurch lernen die Schüler viel mehr.

In der Hochschulbildung hingegen übertreffen die öffentlichen Schulen die Privatschulen. Weil sie besser vorbereitet sind, sind die Plätze an öffentlichen Schulen meist mit wohlhabenden Schülern besetzt. Aber heute haben wir auch Quoten für Schüler an öffentlichen Schulen. Ob sie ihren Abschluss machen können, steht auf einem anderen Blatt.

Schwarze Studierende haben nach wie vor kaum Chancen, eine höhere Bildung zu absolvieren

Heutzutage haben wir in Brasilien Rassenquoten für schwarze Studenten. Dennoch ist die Anwesenheit von Schwarzen an den Universitäten eine seltene Tatsache. Wenn wir sehen, wie ein Schwarzer seinen Abschluss macht, wird das zu einer Nachricht. Brasilien erntet immer noch die Früchte der Sklaverei und der Rassenvorurteile. Aber mit der Zeit wird es besser.

Wir müssen Vorurteile in all ihren Facetten bekämpfen. Wir müssen für eine bessere Gesundheit, Bildung, Umwelt und eine Umwelt mit weniger Korruption kämpfen. Wir wollen ein gerechteres Land, in dem jeder effektiv mehr Chancen hat.

Warum wollen wir, dass die Welt auf uns achtet?

Die Welt dreht sich nicht nur um dich. In einer Beziehung gibt es eine Vielzahl von Faktoren, die dazu führen, dass sich unser Partner zerstreut. Das ist normal und Sie sollten es verstehen. Von ihm zu erwarten, dass er dir die ganze Zeit Aufmerksamkeit schenkt, ist ein bisschen egoistisch.

Wir stehen aus unserer Sicht immer an erster Stelle. Aber andere sehen das nicht so. Ihr erster Platz ist für ein anderes Objekt. Es ist also gut zu akzeptieren, dass die Dinge nicht immer funktionieren werden. Es wird Misserfolge geben, mit denen Sie täglich leben müssen. Es wird Dinge geben, von denen du dir wünschst, dass sie nicht passieren würden, aber einfach das Unvorhersehbare wird sie zu dir bringen. Das ist ein Leben, das kein Blumenmeer ist.

Nachdem das Mädchen bei ihrem Mann eingezogen ist, ändert sich alles. Sie wird Haushälterin, kümmert sich um den Haushalt, die Kinder und arbeitet sogar außer Haus. Es ist eine sehr stressige Routine. Lange Zeit ist die Frau isoliert und hat nur wenige Freunde, mit denen sie reden kann. Ihre Kinder werden zu Freunden und Vertrauten.

Wenn die Kinder erwachsen sind, hat die Frau mehr Freiheiten. Sie können mehr reisen, weniger Sorgen haben, Sie können neue berufliche Qualifikationen machen, Sie können mehr Zeit für sich selbst haben. Es ist der Ort, an dem die Frau wieder glücklich ist, ein eigenes Leben zu haben. Es ist toll, frei zu sein und die Dinge zu tun, die man mag.

Wie schwer es heutzutage ist, sich zu verabreden

Heutzutage ist es schwierig, sich zu verabreden. Heutzutage, mit einfachem Sex, werden die Leute nicht mehr gebunden. Hinzu kommen die rechtlichen und psychologischen Probleme, die eine Beziehung mit sich bringt. Es ist heutzutage eine Menge Kopfschmerzen, in einer Beziehung zu sein.

Die meisten Menschen haben schnelle Fälle. Die meisten Menschen hätten lieber Freiheit, als an jemanden gebunden zu sein. Die meisten Menschen haben Angst, verletzt zu werden, weil sie schmerzhafte Erfahrungen im Liebesfeld gemacht haben. So sind viele Menschen am Ende allein. Das ist für viele Menschen eine traurige Realität.

Wir müssen Mütter respektieren, denn sie haben Geschichten zu erzählen

Mütter wollen das Beste für ihre Kinder. Die Kinder sollten also gehorchen ihren Müttern. So sehr wir ihre Ratschläge auch für veraltet halten, so wichtig sind sie für unsere Persönlichkeitsbildung. Wir müssen unsere Eltern respektieren, die uns das größte Geschenk gemacht haben, auf die Welt zu kommen.

Wenn Sie sich zwischen einem Partner und Ihrer Familie entscheiden müssen, wählen Sie Ihre Familie. Sie sind diejenigen, die dich unterstützen, wenn du es am meisten brauchst. Zweifeln Sie also nicht daran, wer Sie am meisten liebt. Aber wenn Sie einen netten Partner finden, schätzen Sie das auch als tolles Geschenk.

Eltern sollten die Liebe ihrer Kinder nicht erzwingen. Sie müssen freie Liebe geben.

Liebe ist unter keinen Umständen erforderlich. Selbst die elterliche Liebe, die natürlich ist, kann nicht eingefordert werden. Natürlich werden unsere Kinder uns für unser Beispiel, unseren Charakter und die Erziehung, die wir ihnen geben, lieben. Machen Sie sich also keine Sorgen. Deine Kinder werden dich sehr lieben, wenn du es verdienst.

Ich hatte zwei wundervolle Eltern, die mich nie an etwas fehlen ließen. Sie hatten ihre Fehler, aber sie lehrten mich einen guten Weg. Heute bin ich aufgrund ihres Einflusses ein sehr erfüllter Mensch. Das ist es, was wir unseren Kindern hinterlassen sollten: Bildung und unser Beispiel.

Wir sollten niemals über das Leben anderer Menschen lästern, besonders wenn es anderen schadet.

Kennst du irgendwelche Geheimnisse, die das Leben eines Menschen zerstören würden? Also sag es nicht. Das zu sagen, kann das Leben einer Person stören und du musst dich nicht um das Leben anderer Menschen kümmern. Wenn andere Fehler gemacht haben oder schlechte Menschen sind, ist es ihr Problem und nicht deines. Sich um die eigenen Angelegenheiten zu kümmern, ist also die beste Medizin dafür.

Sie hat Geheimnisse, die zum Wohle aller gehütet werden müssen. Wenn du das befolgst, ist deine Chance, im Leben gut abzuschneiden, viel höher. Also viel Glück bei all Ihren Bemühungen.

Träume von Liebe sind schön, aber es ist besser, in die Realität zu fallen

Wir alle haben Liebesgeschichten zu erzählen und viele dieser Geschichten sind Misserfolge, Ablehnungen und Zeitverschwendung. Wenn wir unter der Liebe leiden, die wir empfinden, ist sie diese Liebe einfach nicht wert. Die beste Option ist, diese Liebe zu vergessen und nach anderen Möglichkeiten zu suchen. Eines ist sicher: Auch wenn wir alleine sind, müssen wir Selbstliebe haben.

Als ich mehr als zehntausend Absagen zählte, lernte ich, mich selbst zu schätzen. Ich liebe mich vor allem glaube ich an Gott und die Liebe zu anderen. Meine einzige Möglichkeit war, allein zu sein. So traurig es auch ist, ich fühle mich in all meinen Dingen vollständig und erfüllt. Daher glaube ich, dass eine romantische Liebe für mich einfach eine gute Ergänzung wäre. Aber ich glaube ehrlich gesagt nicht an eine solche Liebe.

Warum glaube ich nicht an eine solche Liebe? Denn ich sehe nur Paare, die sich trennen, obwohl sie schon länger als zehn Jahre verheiratet sind. Denn großen Verrat sehe ich nur immer wieder in den besten Ehen. Warum betrügen, wenn wir unsere Partner so sehr lieben? Warum hast du mehrere Affären, obwohl du in einer Beziehung glücklich bist? Ich weiß nicht, wie die Psychologie es definiert, aber es muss etwas sein, das mit Sexsucht, Sexvielfalt und Charakterlosigkeit zu tun hat. Aber vielleicht ist es auch nur eine unglückliche Entscheidung des Individuums, die eine große Wahrheit widerspiegelt: Er liebt uns nicht. Diese große Wahrheit zu kennen und zu verstehen, kann uns endgültig von allen toxischen Beziehungen befreien und uns auf uns selbst konzentrieren, auf unser Wohlbefinden. Sich selbst als Priorität zu betrachten, ist der erste Schritt, um in einer zunehmend egoistischen Welt glücklich zu sein.

Wie geht man mit einem rebellischen dreizehnjährigen Teenager um?

Mit viel Geduld ist es möglich, mit dieser Situation umzugehen. Eltern haben die Pflicht, ihre Kinder in dieser großen Phase des Wandels zu begleiten. Die Pubertät ist eine große Herausforderung in unserem Leben. Das ist der Zeitpunkt, an dem wir die Kindheit hinter uns lassen und ins Erwachsenenalter eintreten. Es ist eine Zeit der großen Entdeckungen über das Leben selbst, die Welt und sich selbst. Seien Sie also sehr vorsichtig damit.

Eine Frau zu werden ist für jeden sehr kompliziert. Vor allem in einer Gesellschaft, die extrem hohe Anforderungen an Frauen stellt. Versuchen Sie, weniger von sich selbst zu erwarten und die Frau zu sein, von der Sie immer geträumt haben. Sei die gewöhnliche Frau mit großen Träumen und Projekten. Sei die respektable Frau, die uns stolz macht, wo immer wir hingehen. Sei die Heldenfrau, aber für deine eigene Familie.

Heutzutage kann es ein großer Segen sein, eine Frau zu sein wenn Frauen sich ihrer Wünsche, Meinungen und Werte bewusst werden. Eine Frau zu sein ist eine Herausforderung, da sie zerbrechlicher ist und als weniger kompetent abgestempelt wird. Aber verzweifeln Sie nicht. Du hast deinen unschätzbaren Wert für Gott, für dich selbst und für die Welt.

Es hat keinen Sinn, Streit anzuzetteln oder Hass zu kultivieren

Kämpfe und Hass machen unser Leben nur miserabel. Und das ist es, was Kriege und Zerstörung in der Welt hervorbringt. Ich unterstütze keine Gewalt. Ich denke, dass Dialog in kleinen und großen Konflikten immer möglich ist. Ich wünsche mir eine Welt des Friedens und der Harmonie für uns alle.

Versuchen Sie, Konflikte friedlich zu lösen. Es ist eine Win-Win-Situation für alle. Dann wirst du dich gut fühlen, wenn du Liebe, Frieden und Freiheit verbreitest, wo immer du bist. Mögest du in all deinen Projekten gesegnet sein.

In meinen vierzig Lebensjahren hatte ich mehrere Meinungsverschiedenheiten. Ich für meinen Teil habe verziehen, aber nicht die gleiche Einstellung vom anderen bekommen. In der Tat, wenn es einen Bruch gibt, ist es für jeden am besten, seinen eigenen Weg zu gehen, weil das Vertrauen gebrochen wurde. Und wenn Vertrauen gebrochen ist, gibt es keine Möglichkeit, es zu reparieren.

Wenn sich jemand in einer Beziehung beschwert, ist das ein Zeichen dafür, dass er auseinanderfällt

Überdenken Sie Ihre Beziehung, wenn Ihr Partner Anzeichen zeigt, dass er unzufrieden ist. Warum in einer Beziehung bleiben, die schlecht für euch beide ist? Das Leben ist zu kurz, um sich an kleine Dinge zu klammern. Es ist also am besten, eine endgültige Entscheidung zu treffen und in Ruhe durch sein Leben zu gehen.

Die Welt ist nicht mehr wie früher, wo Frauen nach gesellschaftlichen Konventionen mit Männern verheiratet waren. Die Welt ist nicht mehr wie früher, in der Frauen nur von ihren Partnern abhängig waren, um zu überleben. Die Welt ist nicht mehr so, wie sie einmal war, wo jeder nach dem Schein lebte, um anderen zu gefallen. Wir leben in einer neuen Zeit, in der wir Selbstliebe entdecken und unsere persönlichen Beziehungen stärken. Glücklich zu sein ist in der heutigen Zeit mehr als eine Verpflichtung.

Warum lehnst du deinen Mann ab?

Wenn eine Frau ihren Mann mehrmals zurückweist, läuft sie Gefahr, ihre eigene Beziehung zu zerstören. Wenn du deinen Mann nicht willst, warum bleibst du dann bei ihm und unterwirfst ihn der Demütigung? Es ist besser, sich zu trennen und jemand anderen zu finden, an dem du interessiert bist.

Wenn der Ehemann sich zurückgewiesen fühlt, geht er nach draußen, um nach dem zu suchen, was er zu Hause nicht hat. Und es hat keinen Sinn, sich in diesem Fall über Verrat zu beschweren. Sie selbst waren es, die diese Situation provoziert haben. Sei dir dessen bewusst und ändere deine Einstellung zu deinem Mann, wenn du wirklich verheiratet bleiben willst.

Aber wenn du deinen Mann ablehnst, nur weil er heiß ist, ist das ein schlechtes psychologisches Spiel. Es ist ein schwieriger und grausamer Schritt, der deine Ansprüche zunichte machen kann. Denke daran, dass es Millionen von Versuchungen gibt, deinen Mann an den Nagel zu hängen. Öffne deine Augen, Frau, lehne deinen Mann nicht mehr ab.

Wie schlimm es ist, sich mit jemandem zu verabreden, der dich ständig korrigiert

Wenn dein Partner dich wiederholt oder ständig korrigiert, ist das eine toxische Beziehung. Es quält dich wirklich und bringt dich in der Öffentlichkeit in Verlegenheit. Es ist also an der Zeit, dies zu Ihrem eigenen Besten zu beenden. Denke daran, dass es besser ist, allein zu sein, als jemanden zu haben, der dich die ganze Zeit quält.

Verabrede dich mit jemandem, der dich unterstützt und liebt. Verabrede dich mit jemandem, der dich versteht und dir gute Geschenke voller Bedeutung macht. Verabrede dich mit jemandem, der sich für dich einsetzt, auch wenn du nicht ganz richtig bist. Zu lieben bedeutet, sich wirklich um den anderen zu kümmern, ohne eine Gegenleistung zu erwarten.

Dem Menschen, der seine Versprechen nicht hält, ist nicht zu trauen

Ein Versprechen ist eine Schuld. Wenn wir ein Versprechen abgeben und es nicht halten, verlieren wir all unsere Glaubwürdigkeit. Der Mann ohne Glaubwürdigkeit hat also von niemandem Respekt. Wenn Sie etwas nicht halten können, dann versprechen Sie es nicht. Besser das, als sich vor der Gesellschaft zu blamieren. Das Wort eines Mannes ist eine sehr wichtige Sache.

Vertraue keinem Mann, der kein Wort hat. Wenn du es am wenigsten erwartest, wirst du absurd enttäuscht sein. Analysiere den Mann anhand seiner Familiengeschichte, seiner Gesellschaftsgeschichte, seiner Lebensgeschichte. Nur dann kann man darauf vertrauen, dass er ein guter Mensch ist. Nur um sich zu fühlen Sie sich wohl und fahren Sie mit dem Projekt fort. Viel Glück für Sie.

Wenn Sie auf Freizeit verzichten, ist es einfach, Geld zu sparen

Wenn du einen Traum verwirklichen willst: Haus, Land, Wohnung, Auto, aber du sparst nicht, du kommst nie dorthin. Für die meisten Brasilianer ist der Kauf eines Eigenheims eine große Herausforderung. Aber wenn du gut sparst, kannst du dieses große Ziel erreichen.

Unser erstes Ziel ist es, ein eigenes Zuhause zu haben, da es Ihre Sicherheit ist. Dann haben wir versucht, ein Auto zu kaufen, um uns leichter fortzubewegen. Schade, dass ich mit meinem Gehalt nie eine Immobilie kaufen konnte. Ich habe immer viel ausgegeben und es blieb nicht genug übrig, um mir ein Haus oder ein Auto zu kaufen. Nun, ich habe kein Auto und wohne in einem

Erbschaftshaus. Ich bin dankbar für die Arbeit meiner Eltern, so dass ich heute ein Dach über dem Kopf habe.

Um in einem Unternehmen arbeiten zu können, muss der Mitarbeiter Teamgeist mitbringen

Ein guter Mitarbeiter ist verständnisvoll, fleißig, fleißig, großzügig, weiß, wie man im Team arbeitet und wie man Lösungen für Probleme findet. Ein guter Mitarbeiter kann Chef werden, aber ohne den Anspruch, jemanden zu Fall zu bringen oder auszuschließen. Ein guter Chef versteht es, auf jede Forderung zu hören, die an ihm am Tresen an ihn herangetragen wird.

Selbst wenn du eine höhere Position hast, nutze deine Macht nicht zu deinem eigenen Vorteil. Betrachten Sie sich als gleichwertig mit den anderen Mitarbeitern. Wisse, wie du anderen helfen kannst, damit sie in Weisheit, Freude, Gerechtigkeit und Nächstenliebe wachsen. Schlüpfen Sie in die Rolle des Chefs und des Mitarbeiters. Wisse, wie man mit allen verständnisvoll umgeht. Für seine gute Rolle bewundert ihn die Gesellschaft. Für deine gute Arbeit lieben dich alle und wünschen dir ein langes Leben.

Um ein guter Arbeiter zu sein, musst du mit dir selbst im Reinen sein

Was auch immer wir im Leben tun, wir müssen emotionale Stabilität haben. Wenn Sie also verwirrt sind, wie können Sie dann signifikant gut produzieren? Es ist notwendig, auf dem neuesten Stand der Emotionstherapie zu sein, weniger Probleme zu haben, in der Lage zu sein, die Vielfalt der Welt zu verstehen, sich in die Lage des anderen zu versetzen, anderen Menschen Chancen zu geben.

Gute Arbeit wird von emotional reichen Menschen geleistet. Gute Arbeit wird von Menschen geleistet, die keine Angst vor der Arbeit haben. Gute Arbeit wird von kompetenten und qualifizierten Menschen geleistet. Gute Arbeit wird von Menschen mit vollem Geist geleistet. Gute Arbeit ist Arbeit, die den Arbeiter gut bezahlt. Die Arbeit in unserem Leben ist also sehr wichtig, aber wir müssen einige Regeln befolgen, um miteinander auszukommen.

Was lernen wir aus den dunklen Nächten unseres Lebens?

Ich erlebte eine große, dunkle Nacht, in der ich Gott und seine Prinzipien vergaß und nur Sünden beging. Ich war der Typ, der als Teenager gerne seinen gezeigt hat und dafür schäme ich mich bis heute. Aber dann dachte ich nach und sah, dass es falsch war. Ich wurde ein besserer Mensch, ethischer, ehrlicher und freundlicher zu den Menschen. Ich wurde ein vorbildlicher Sohn und machte meine Eltern stolz.

Was lernen wir aus den dunklen Nächten unseres Lebens? Wir lernen, dass Sünde Lernen ist, aber dass wir ohne Fehler nichts Sinnvolles lernen können. Von der Pubertät an erleben wir Erfahrungen, die uns viel hinzufügen und uns zu erfahrenen Menschen machen. Heute weiß ich, dass ich auf dem richtigen Weg bin. Mein Leben ist immer noch voller großer Herausforderungen: Eine davon ist es, von meiner Kunst zu leben. Aber auch wenn ich nicht vom Schreiben lebe, habe ich das Gefühl, dass das, was ich in Büchern sage, wichtig ist und für zukünftige Generationen katalogisiert werden sollte. Ich bin stolz auf meine literarische Arbeit und betrachte sie als eine der größten literarischen Sammlungen der Welt. Deshalb bitte ich jeden, der mich unterstützen möchte, ich werde mich sehr über Ihr Interesse freuen.

Sind viele Beziehungen ein Zeichen von Liebesglück?

Nicht immer. Manchmal hat so ein Mensch nicht wirklich Selbstachtung. Er ist ein Mensch voller Bedürftigkeit und Selbstbestätigung. Also repariert sie diese Beziehungen, um über die Runden zu kommen ihre affektive Bedürftigkeit. Löst das ihr Problem? Nicht unbedingt. Das ist noch schlimmer. Was ein Mensch entwickeln muss, ist seine Selbstliebe, die Liebe zu Gott und die Liebe zu seinem Nächsten.

Wenn wir Liebe für uns selbst haben, haben wir mehr Geduld und Fürsorge für diejenigen, mit denen wir uns identifizieren. Einen Freund zu haben, bringt viele philosophische und persönliche Probleme mit sich, auf die wir manchmal nicht vorbereitet sind. So zerstört es uns Stück für Stück, ohne Chance für unseren Erlöser-Rationalismus. Denken tut vor allem viel Gutes.

Warum halten Beziehungen nicht ewig?

Es ist gut, eine neue Beziehung zu genießen. Alles ist neu in einer Beziehung, bis man etwa drei Jahre alt ist. Aber mit der Zeit franst die Beziehung aus und manchmal suchen die Ehepartner nach Abenteuern außerhalb der Ehe. Deshalb sage ich, dass jede Beziehung heutzutage ihr Verfallsdatum hat. Nichts ist wirklich für immer.

Zu verstehen, dass die Beziehung vorbei ist, ist eine große Tugend. Vielleicht bringt Ihnen eine Veränderung in Ihrem Leben mehr Vorteile und Sie finden in einem neuen Partner das, worauf Sie gewartet haben. Es ist immer an der Zeit, neu anzufangen und die Erwartungen zu erneuern. Wir alle wandeln Metamorphosen wie Raupen.

Göttlich

Was machst du neben der Arbeit am liebsten?

Holländisch

Die Arbeit langweilt mich. Also komme ich, um im Fluss zu baden.

Beatriz

Aber ist es nicht etwas Schlechtes, die Arbeit ausfallen zu lassen? Ist das eine anständige Männersache?

Holländisch

Ich arbeite nur mit dem Nötigsten. Wenn es mich stört, komme ich zum Fluss und gehe hinunter zum Felsen.

Geist des Berges

Was fühlst du im Fluss?

Holländisch

Ich fühle mich total mit der Natur verbunden. Ich sehe, dass Lehmgruben mein Zuhause sind. Auch wenn meine Vorfahren nicht mehr da sind, bin ich immer noch dankbar für die Möglichkeit, hier zu bleiben. Ich liebe alles, was Gott für mich vorgesehen hat.

Renato

Ich verstehe es richtig, mein Lieber. Wir sind jung und haben eine ausgeprägte Wahrnehmung der Natur. Los geht's. Mögen Sie Ihre Freizeit gut genießen. Arbeiten ist gut, aber nicht so sehr.

Göttlich

Wie blicken Sie in die Zukunft?

Holländisch

Ich möchte meinen Namen in der Geschichte der Lehmgruben verewigen. Ich möchte als der Holländer des Steins in Erinnerung bleiben, eine folkloristische Figur. Ein Zeichen in der Welt zu hinterlassen, ist das, was ich mir am meisten wünsche.

Göttlich

Nur zu, Kumpel. Alles Gute für Sie. Mögest du auf deinem Ziel beharren und es erreichen. Dieser Ort hat eine unbeschreibliche Kultur, die uns sehr bewegt. Es lebe die Lehmgrube!

' So wurde die Geschichte des Holländersteins in Tongruben verewigt. Eine bemerkenswerte Figur aus der Kolonialzeit, als die Holländer den Staat Pernambuco beherrschten.

Stein des Mädchens

Göttlich

Warum schreien Sie, junge Dame?

Mädchen

Ich verlor alles, was ein Mädchen haben konnte: ihre Familie, ihre Scham, ihren Ruf. Alles erscheint mir wolkig.

Beatriz

Geben Sie nicht auf, junge Dame. Wir Frauen haben alle unsere Magie und unseren Zauber. Lass dich nicht so von Depressionen überwältigen. Ihr habt uns allen so viel zu bieten.

Mädchen

Es ist sehr schwierig, diese Revolte, die ich fühle, zu kontrollieren. Warum werden wir von Männern so bestraft? Warum haben wir diese Rolle der Unterwerfung? Warum ist es unsere Schuld, wenn etwas schief geht? Ich wollte Freiheit erleben und weniger täglichen Druck. Es scheint, als wäre das so viel verlangt.

Geist des Berges

Du hast deinen persönlichen Wert. Glaube an dich selbst und kümmere dich nicht um die Kritik. Sei die einfache Frau, die du schon immer warst, und erwecke dein inneres Strahlen. Frauen aus dem Landesinneren von Pernambuco haben einen hohen Stellenwert.

Mädchen

Ich verstehe meinen Wert, aber ich bin immer noch traurig. Ich möchte diese Welt als eine Form des Protests verlassen. Ich möchte den Kritikern den Mund halten und Geschichte schreiben.

Renato

Bringen Sie sich nicht um! Überlegen Sie, was das Beste für Sie ist. Das Leben ist zu schön, um es zu verschwenden. Reagieren!

Mädchen

Ich habe meinen Teil dazu beigetragen. Aber die Gesellschaft ist ziemlich grausam. Wegen eines Fehlers von mir wurde ich oft verurteilt und verurteilt. Ich danke dir für die Kraft, die du mir gibst, aber niemand versteht, was ich fühle. Was nützt ein Leben ohne Ehre? Ich antworte mir: nichts!

Göttlich

Folge deinem Schicksal, liebes Mädchen. Aber wisse, dass wir dich lieben, egal welche Entscheidung du triffst. Du bist Teil der Kultur der Tongruben und wirst für immer in unseren Herzen verewigt sein. Gott segne Sie.

In der Nacht beging das Mädchen Selbstmord am Strand von Lehmgruben. Die Legende besagt, dass die Einheimischen in Vollmondnächten Angstschreie vom Strand hören. Sie traf ihr Schicksal, aber schade, dass es für alle so schmerzhaft war. Ihr zu Ehren wird der Stein, auf dem sie starb, der Stein des Mädchens genannt.

Der Pferdefriedhof

Göttlich

Bist du sicher, dass du das arme Pferd opfern willst?

Vorarbeiter

Er hat Krebs. Er wird zum Tode verurteilt. Lassen Sie uns Ihr Leiden abkürzen.

Renato

Seht, wie er leidet. Es sieht so aus, als wolle er nicht sterben. Gnade. Ist das wirklich nötig?

Vorarbeiter

Es ist auch schwer für mich, aber es ist auch das Beste für ihn. Zumindest ist das Leiden vorübergehend.

Beatriz

Pferde haben auch Gefühle und Seele. Lieben sie ihre Besitzer und bekommen sie es zurück? Was für eine Tyrannei.

Vorarbeiter

Er ist ein Tier, das mir sehr geholfen hat, aber krankheitsbedingt nicht in der Lage ist. Ich versuche, dir zu helfen.

Berggeist

Sein Geist wird sehr leiden, weil er seinen Besitzer liebt. Der Körper scheint den Wunden zu widerstehen. Er leidet, weigert sich aber zu sterben. Er fühlt sich erschöpft, krank, sieht aber aus, als würde er noch stehen.

Vorarbeiter

Das ist das schwierigste Pferd, für das man sterben kann. Also werde ich den Prozess beschleunigen. Er muss in Frieden ruhen, um dieses weltliche Leben des Leidens zu vergessen. Geh in Frieden, Lippe, wir werden uns im Himmel treffen.

Mit einem weiteren gezielten Schlag fällt das Pferd schließlich. Alle Anwesenden trauern um das Tier, das von allen geliebt wurde. Lehmgruben. Sie geht als folkloristische Legende der Stadt in die Geschichte ein. Das Pferd ist verschwunden, aber der Geist spukt bis in alle Ewigkeit durch den Ort.

Warum bereuen viele Künstler, berühmt zu sein?

Ich denke, der Hauptgrund, warum du es bereust, berühmt zu sein, ist die Bekanntheit im Internet. Wenn wir unser Privatleben offenlegen, sehen wir, dass es Vor- und Nachteile hat, berühmt zu sein. Wenn wir also berühmt sind, fällt es uns leicht, Träume wahr werden zu lassen und finanzielle Vorteile zu erhalten. Aber wir entblößen uns auch mehr und lassen viele über unser Leben wissen. Das kann spannend sein, aber auch uncool.

Ich persönlich bevorzuge ein einfaches Leben. Ich bevorzuge mein Leben auf dem Bauernhof, wo ich Frieden, Ruhe und Harmonie habe. Aber es ist durchaus wahr, dass nicht berühmt zu sein, finanzielle und Marktverluste mit sich bringt. Ich kann zum Beispiel nicht von Literatur leben, weil fast niemand meine Arbeit kennt. Ich kann auch nicht Teil der digitalen Medien sein oder gar in der Presse erwähnt werden. Das ist ein Nachteil, wenn man nicht berühmt ist. Aber ich bin glücklich in meiner Armut und in meiner Anonymität.

Warum sollten wir keine Angst haben?

Die Angst hält uns gefangen. Angst führt dazu, dass wir negative Energien kanalisieren. Angst steht unserem Leben also oft im Weg. Wenn wir keine Angst haben, werden wir uns den Problemen direkt stellen und alles überwinden. Auch wenn die Antwort ein Verrat, eine Zurückweisung oder ein Tod ist. Wir werden mit dem Schmerz und dem Verlust leben, aber wir werden in der Lage sein, ihn zu überwinden.

Ich habe den Mut, dein Leben zu leben. Haben Sie den Mut, die richtigen Entscheidungen zu treffen. Ich habe den Mut und den Glauben, auf den richtigen Moment zu warten. Ich habe den Mut, so zu sein, wie du bist. Tragen Sie keine Masken über sich selbst oder Ihre Sexualität. Die Guten und die, die dich mögen, werden dich unterstützen. Diejenigen, die dich ablehnten, waren also nur Überbleibsel. Überbleibsel einer Vergangenheit, an die Sie sich nicht erinnern werden. Du bist wichtiger als sie alle.

Wir sind komplette Menschen. Vermeiden Sie also den Mangel an

Sich zerbrechlich, abhängig und bedürftig zu fühlen, kann eurer Beziehung im Weg stehen. Lerne, dich selbst zu lieben, dich selbst zu schätzen und ein vollständiger Mensch zu sein. Sei glücklich für dich selbst, ohne von anderen abhängig zu sein. Wenn du diesen Punkt des Gleichgewichts erreichst, wirst du bereit sein, jede Beziehung zu leben.

Wenn der andere nur eine Ergänzung ist, ist dies eine ideale Beziehung. Seien Sie finanziell und psychologisch unabhängig. Wenn alles schief geht und die andere Person dich verlässt, wirst du deine eigene Rettung haben. Du wirst in der Lage sein, den Verlust schnell zu verschmerzen, weil du eine komplette Orange sein wirst. Fühle dich also glücklich, so zu sein, wie du bist, mit viel Liebe für dich selbst.

Wussten Sie, dass der Tod unvermeidlich ist?

Wir denken nicht gerne darüber nach. Aber die Wahrheit ist, dass die einzige große Gewissheit, die wir im Leben haben, der Tod ist. Der Tod ist das Schicksal von allem, was auf Erden lebt. Und wie kann man dieser Realität begegnen? Jeden Tag des Lebens intensiv genießen. Verzeihe, liebe, sei großzügig, sei wohltätig, wechsle den Job, reise ein wenig, muntere dich auf, auch wenn du mit Depressionen konfrontiert bist. Du bist wertvoll und musst dich in erster Linie selbst lieben.

Denke nicht an den Tod. Lebe jeden Augenblick deines Lebens mit der Freude, die ewig ist. Tue Gutes, solange du kannst, damit du bei denen, die dich lieben, gute Erinnerungen hinterlässt. Lassen Sie jeden Moment zählen und machen Sie sich nicht zu viele Sorgen. Sorgen, Angst und Scham umschließen unsere Seelen in einer stinkenden Umgebung. Lassen Sie also Ihre Seele frei, um sich mit dem Besten im Leben zu versorgen.

Der Gedanke an den Tod ist deprimierend. Aber wenn es den Tod nicht gäbe, hätten wir kein Leben. Alles muss ein Ende haben, damit andere Menschen eine Chance haben, auf der Erde zu leben. Daher gibt es niemanden, der unersetzlich ist. Am nächsten Tag werden sie ausgetauscht und das Leben geht weiter. Das gesamte Material, das Sie hatten, wurde gespendet oder geerbt. Alles, worauf du neidisch warst und nicht verleihen wolltest, wird in andere Hände gelangen. In ein paar Jahren sind Sie von den meisten Menschen vergessen. Ich selbst habe keine Kinder. Mein Geschenk an die Welt werden also meine Bücher sein, die für die Nachwelt bleiben werden. Deshalb nehme ich die Arbeit dieses Autors so ernst. Ich bitte die Leser, mich zu unterstützen, damit ich weiterhin immer mehr Inhalte produzieren kann.

Was halten Sie vom Alter?

Das Alter ist etwas, das für manche Menschen kommen wird. Andere werden kein Alter erreichen, weil sie tot sein werden. Wie gehen wir also mit dem Alter um? Begegnen Sie ihm mit Nüchternheit und Feindseligkeit. Das Alter ist die Krönung eines Lebens voller Geschichten, die es zu erzählen gilt. Und wie gut es ist, mit Gesundheit, Willen und Siegeswillen ein hohes Alter zu erreichen. Wir können auch große Träume erobern und schöne Momente des Lebens mit denen teilen, die wir lieben. Du bist noch nicht tot und kannst das Leben noch sehr gut genießen.

Ich sehe mich als alt und habe noch einiges vor. Ich werde auf jeden Fall Bücher schreiben, denn das ist seit meiner Kindheit meine große Bestimmung. Ich werde mich auch um meinen Bauernhof, meine Tiere, meine Familie kümmern und vielleicht eine große wahre Liebe leben. Ich habe die große Hoffnung, dass es mir im Alter gut geht und ich nicht auf die Hilfe anderer angewiesen bin. Ich möchte ein selbstständiger alter Mann sein, der in der Lage ist, sein eigenes Ding zu machen. Alle Dinge sind möglich für diejenigen, die an Gott glauben.

Ich glaube, dass ich in meinem Alter von den Früchten essen werde, die ich jetzt pflanze. Ich werde mein Leben stabilisieren, im Ruhestand und mit viel Lebenslust haben. Ich werde immer noch ein kleiner Träumer sein, mit einem jungen Geist, obwohl ich körperlich älter bin. Das Alter besteht nur aus Zahlen und nicht mehr. Wichtig ist, dass wir jung geblieben sind, mit Plänen für die Zukunft und die Gegenwart. So werde ich immer mit mir zufrieden sein, trotz der großen Herausforderungen, denen ich begegnen kann. Lebe das Leben mit Freude.

Ich will nicht das Leben anderer Menschen kontrollieren

Lassen Sie Ihre Familie, Ihre Freunde oder sogar Ihren Partner frei sein. Sie haben dieses Recht, das ihnen von Gott gegeben wurde. Warum also versuchen, sie ihnen zu entziehen? Das ist illegal und unfair. Wenn Sie feststellen, dass etwas nicht stimmt, lassen Sie es uns wissen. Aber ich will niemals das Leben von irgendjemandem kontrollieren. Auch dann nicht, wenn es sich bei dieser Person um Ihr Kind handelt.

Wenn wir frei sind, haben wir unsere künstlerischen Ausdrucksformen bewahrt. Wenn wir frei sind, fühlen wir uns Wir sind frei, unsere eigenen Entscheidungen zu treffen. Ob zu Recht oder zu Unrecht, sie werden in uns eine kriegerische und gewinnende Persönlichkeit aufbauen. Wir werden erfahrene Menschen sein, die in der Lage sind zu wissen, was gut und was böse ist. Es gibt also keine andere Möglichkeit. Indem man Fehler macht, lernt man und kommt voran.

Ich habe noch keine eigene Persönlichkeit. Das hatte ich noch nie, weil ich mit meiner Familie zusammenlebe. Ich lebte mit meinem Vater, meiner Mutter und meinen Geschwistern zusammen. Nach dem Tod meines Vaters und meiner Mutter lebe ich bei Geschwistern. Und da meine Geschwister älter sind, sind sie diejenigen, die den Haushalt führen. Ich bin nur ein Zuschauer der Dinge, weil sie mir nicht einmal zuhören.

Das Leben mit der Familie hat Vor- und Nachteile. Der Vorteil ist, dass sie mir Gesellschaft leisten. Der Nachteil ist, dass Sie keine Freunde oder Freunde zu sich nach Hause einladen können. Ich verstehe, dass mich das Zusammenleben mit anderen

Menschen in vielen Dingen einschränkt, aber es ist die beste Option für mich. Ich will nicht allein oder hilflos sein.

Meine Frustration in romantischen Beziehungen hat mir gezeigt, dass die wirkliche Unterstützung, die ich habe, von der Familie kommt. Als ich es am meisten brauchte, unterstützten mich Fremde nicht. Deshalb bin ich dankbar für alles, was ich mit meiner Familie erlebe. Ich bin allen dankbar, die an meinem Leben teilgenommen haben, Familienmitgliedern oder Fremden. Ich habe ein bisschen von jeder Person in den Erfahrungen, die ich gemacht habe. Deshalb bezeichne ich mich selbst als den ewigen Lernenden.

Wie man als Familie gut miteinander auskommt

Die Familie ist die erste Kernfamilie, an der wir von Geburt an teilnehmen. Hier lernen wir die Grundlagen von Respekt, Höflichkeit und Verantwortung. Hier lernen wir, bedingungslos zu lieben, Kontakte zu knüpfen und eine bestimmte Weltanschauung zu haben. Die Familie ist der Anfang von allem.

Wenn wir in Gefahr oder Not sind, sind es normalerweise unsere Familienmitglieder, die uns helfen. Die Familie hat also eine strategische Bedeutung im Leben von uns allen. Es ist unsere Basis der Unterstützung für alles. Wenn Sie also eine Familie haben, schätzen Sie es als großen Preis.

In meinen vierzig Lebensjahren muss ich gestehen, dass diejenigen, die mich unterstützt haben und immer an meiner Seite waren, meine Familienmitglieder waren. Die Fremden hingegen haben sich nicht aktiv an einer persönlichen Betreuung für mich beteiligt. Die wenigen Male, in denen ich Kontakt mit Fremden hatte, war in der Schule, bei der Arbeit und manchmal auch bei mir zu Hause. Mit anderen Worten, die Zeiten, in denen mich jemand um Unterstützung bat, geschah aus Interesse an etwas. Aber sobald sie das tun, verschwinden sie einfach aus meinem Lebensumfeld. Die meisten Menschen auch. Sie suchen nur aus Interesse nach Ihnen. Danach bleibt man auf der Strecke.

Die Geschichte von Afonso Pena

Besuch der Tomatenplantage

Afonso Pena und sein Vater gingen zum ersten Mal auf die Felder. Er war ein zwölfjähriger Teenager, der das Gymnasium besuchte, während sein Vater ein bekannter Landwirt in der Gegend war. Sie gingen beide Seite an Seite den Hausberg hinauf. Es war eine gute Atmosphäre zwischen ihnen, da sie sich als Familie respektierten und liebten.

Afonso Pena

Ich freue mich schon sehr darauf, Papa. Was wollen Sie mir an diesem Arbeitstag beibringen?

Domingos Pena

Ich möchte dich lehren, wie das Leben eines ehrlichen Mannes aussehen sollte, mein Sohn. Ich erkenne an, dass Sie ein talentierter junger Mann sind und studieren und eine Karriere verfolgen müssen. Aber es ist wichtig, dass Sie unsere Herkunft kennen und in irgendeiner Weise an unserem Einkommen beteiligt sind. Ich möchte Ihnen den Wert der Arbeit beibringen und wie Sie sich davor verhalten sollten.

Afonso Pena

Das ist wirklich wichtig. Ich weiß, dass unser Lebensunterhalt von den Einnahmen aus der Farm und der Goldmine stammt. Ich möchte alles lernen, was ich über dieses finanzielle Thema wissen muss. Aber zuerst, wie soll ich ein großer Mann sein?

Domingos Pena

Es muss Ehrlichkeit und Charakter haben. Sie müssen Ihren Verpflichtungen und Verantwortlichkeiten nachkommen. Er muss seine Familie und seine Frau lieben und beschützen. Er muss arbeiten, um über die Runden zu kommen und mithalten zu können. Es sollte freundlich und wohltätig sein, Respekt und Liebe für andere haben. Aber Sie sollten immer ihre Priorität sein, denn wenn Sie es nicht tun, wird es niemand tun.

Afonso Pena

Ich fange an zu verstehen, Dad. Das interessiert mich sehr. Ich werde mich bemühen, ein guter Lerner zu sein, und ich bin sicher, dass diese Lehren für meine persönliche Entwicklung wertvoll sein werden. Lass uns weitergehen und ich will bald zur Tomatenplantage.

Die Reise geht weiter. Im Kopf des jungen Alfonso gab es zahlreiche Fragen über sich selbst, seine Familie und seine Rolle in der Gesellschaft. Es war der Geist eines jungen Mannes aus der Mittelklasse, der an die Bequemlichkeit vieler Dinge gewöhnt war. Aber er musste alles verstehen, was um ihn herum geschah, und er hatte die Hilfe seines Vaters, um dies zu tun.

Sie absolvieren ein Viertel der Strecke. Die neue Errungenschaft öffnet ihm die Augen für die einfachen Dinge des Lebens als wunderschöner Sonnenuntergang, der Wind, der ihnen ins Gesicht bläst, die Zikaden, die singen, die Felsen, die sich drehen, kurz gesagt, das Vergnügen des Kontakts mit der Natur, das sich ihren Augen öffnet. Er trug den Entschluss mit sich, all dies gründlich zu studieren.

Im weiteren Verlauf legen sie die Hälfte der Strecke zurück. Dann machen sie einen kurzen Stopp unter einem Mangobaum. Sie nutzen die Gelegenheit, um ein paar Früchte zu essen und sich abzukühlen.

Domingos Pena

Sieh dir all die Mühe an, die wir unternehmen, mein Sohn. Es ist bei jedem Unternehmen dasselbe. Keiner von uns hat es leicht auf dieser Welt. Tag für Tag erstickt uns unsere Routine und zeigt uns, dass Arbeit sich lohnt, aber sie ist auch ein großes Paradoxon. Warum arbeiten wir? Warum geben wir uns so viel Mühe? Um Träume wahr werden zu lassen!

Afonso Pena

Mein Traum ist es, Anwältin und Politikerin zu werden. Und was war dein Traum, Papa?

Domingos Pena

Mein Traum war es, Familienvater, Landwirt und Bergmann zu werden. Ich habe genau das bekommen, was ich wollte. Wie habe ich das gemacht? Mit viel Entschlossenheit und harter Arbeit. Nichts ist wirklich einfach.

Afonso Pena

Ich bin einer deiner Bewunderer. Ich bin stolz darauf, dein Traumkind und Begleiter zu sein. Ich habe das Gefühl, dass Brasilien jemanden wie mich braucht, um sich zu verändern und zu wachsen. Ich möchte meine Pflichten erfüllen, damit das brasilianische Volk eine größere Hoffnung auf bessere Tage hat.

Domingos Pena

Ich helfe Ihnen bei diesem Anpassungsprozess. Der Weg ist lang und anspruchsvoll. Aber wenn Sie den Mut und die Bereitschaft haben, das zu tun, was Sie heute getan haben, können wir Hoffnung haben. Ein guter Sohn kann ein guter Anwalt und ein guter Politiker sein. Seit du geboren wurdest, habe ich das Gefühl, dass du ein großer Star sein wirst.

Afonso Pena

Danke, Papa. Ich hoffe doch. Weiter geht's. Die Zeit vergeht schnell.

Die Wanderung wird von den beiden mit noch mehr Energie fortgesetzt. Schnell überwinden sie alle Hindernisse, die vor ihnen liegen. In seinem Durchgang durch jeden von ihnen bleibt dieser geheimnisvolle Geschmack von guten Eroberungen, Freuden und Siegen. Und es war alles sehr neu und herausfordernd für jeden von ihnen. Sie fühlten sich glücklich, mit neuen Fröhlich und bereit für jede Herausforderung, der sie sich stellten. So absolvieren sie drei Viertel der Strecke.

Der letzte Teil der Strecke wird mit einer gewissen Ruhe zurückgelegt. Sobald sie auf der Tomatenplantage ankommen, beginnen sie, die Arbeit der Mitarbeiter zu inspizieren und auch bei den Aufgaben zu helfen. Es war eine gute Aktivität, die sie ablenkte und ihnen gute Flüssigkeit brachte. Es gab viele Menschen, die sich verpflichtet haben, ihr Bestes zu geben, und das war gut für den Erfolg der Sache. Sie verbringen fast fünf Stunden in diesem Job und nehmen an allem teil. Am Ende des Tages sind sie stolz auf sich und bereit, alles, was sie dort gelernt haben, zu verarbeiten. Am nächsten Tag würden sie in die Goldmine gehen, um das zweite Unternehmen der Familie zu inspizieren.

In der Goldmine

Sie kommen in der unterirdischen Goldmine an. Gemeinsam mit den Arbeitern nutzen sie die Maschinen, um Gold zu gewinnen. Dann beginnt das Gespräch.

Afonso Pena

Dieser Ort ist mysteriös und unglaublich. Was willst du mir hier beibringen, Papa?

Domingos Pena

Ich möchte den Wert des Landes, der natürlichen Ressourcen und ihrer Erhaltung lehren. Brasilien ist reich an natürlichen

Ressourcen und ein gutes Management ist in der Lage, diesen Zustand für eine lange Zeit zu erhalten. Das kann man als Politiker in besonderer Weise fördern. Schauen Sie sich die Bedingungen des Minenarbeiters an. Gebt ihnen ihre verwandten Rechte, ihre Garantien für ein dauerhaftes Leben, ihre Rente und andere Rechte wie Bildung und Gesundheit. Indem wir andere respektieren, können wir Wohlstand für alle schaffen.

Afonso Pena

Jetzt verstehe ich alles, Papa. Ihre Verantwortung als Familienoberhaupt ist groß, und ich respektiere das. Ich brauche Ihre Unterstützung auf meinem Weg des Wachstums und der Entwicklung. Vielen Dank, dass Sie mir das gezeigt haben.

Domingos Pena

Es ist nicht nötig, Danke zu sagen. Ich habe das Gefühl, dass ich mein Ziel erreicht habe. Jetzt wisst ihr, woher all unser Komfort kommt und alles, was wir konsumieren, aus unserem Land kommt. Schätze das Land, mein Sohn. Sie ist seit ihrer Geburt unsere Mutter. Die Natur ist weise und wir sollten immer auf sie hören.

Afonso Pena

Okay, Papa. Jetzt können wir nach Hause gehen. Ich bin bereit, meine Träume mit mehr Willen zu verfolgen. Ich bin mir sicher, dass ich auf dem richtigen Weg bin. Vielen Dank für alles.

Nach Stunden in der Goldmine kehren sie nach Hause zurück. Der kleine angehende Politiker hatte noch viele Fragen offen. Alles war in seiner Zeit. Der Junge war noch jung und hatte noch viel zu lernen.

Familientreffen

Afonso Pena macht sein Abitur. Jetzt wollte ich einen College-Abschluss machen. Also versammelte er die Familie, um dies mitzuteilen.

Afonso Pena

Ich werde nach Saint Paul ziehen. Ich möchte Jura studieren und Jura lernen. Danach werde ich Politiker werden und diese Nation wieder auf Kurs bringen. Ich möchte euch, meinen Eltern, für eure emotionale und finanzielle Unterstützung danken. Ich möchte mich auch bei allen Mitarbeitern dieses Hofes bedanken, die mir immer so treu geblieben sind. Wir alle zusammen haben große Stärke.

Ambrosini

Ich wusste immer, dass ich ihr Lieblingsmädchen war. Als schwarze Frau bitte ich Sie, in der Regierung für die Abschaffung der Sklaven zu kämpfen. Wir brauchen unsere Freiheit, um besser zu existieren. Deshalb bitte ich dich um deine Unterstützung, mein lieber Sohn.

Afonso Pena

Stimmt, Ambrosini. Vielen Dank für Ihre Hingabe an Ihre Arbeit und Ihre Liebe zu mir. Ich werde mich im Kampf gegen die Sklaverei, gegen die Armut und gegen Ungerechtigkeiten engagieren. Deshalb werde ich eine Ausbildung zur Juristin machen.

Ana Pena

Vergiss deine Eltern zu keinem Zeitpunkt. Besuchen Sie uns im Urlaub. Wir sind stolz auf Sie.

Domingos Pena

Hoffen wir auf Ihren Erfolg. Du bist bereit, es mit der Welt aufzunehmen, weil du ein gemachter Junge bist. Nur zu, mein Sohn. Es wird alles gut.

Afonso Pena

Vielen Dank an alle. Ich verspreche, ein rechtschaffener Mann zu sein und dich nicht im Stich zu lassen.

Afonso packte seine Koffer und machte sich auf den Weg Hl. Paulus zu studieren. Eine neue Welt tat sich für den jungen Mann auf, der sich so sehr wünschte, im Leben erfolgreich zu sein. Ein großes Glück für ihn.

Eine Debatte im Jurastudium

Rui Barbosa

Wofür willst du Politiker werden, Alfonso?

Afonso Pena

Ich wollte die Realität in Brasilien ändern, die katastrophal ist. Wir leben in einer Zeit der wirtschaftlichen und sozialen Stagnation, in der niemand wächst. Deshalb möchte ich in die Politik gehen, um gegen soziale Ungerechtigkeiten, Sklaverei und Armut zu kämpfen und die allgemeine Perspektive zu verbessern.

Rui Barbosa

Sehr gut. Ich möchte auch politisch aktiv sein, um meinen Teil dazu beizutragen. Wir müssen zusammenkommen, um Brasilien zu verbessern.

Joaquim Nabuco

Wir müssen das Gesundheitswesen und die Bildung verbessern, die prekäre Bereiche sind. Wir müssen die Wirtschaft ankurbeln und Arbeitsplätze schaffen. Nur so wird Brasilien wachsen.

Castro Alves

Wir müssen das Kino, die Musik, die Literatur und die Künste im Allgemeinen fördern. Die Welt atmet Kunst, die eine Möglichkeit für die Menschen ist, sich auszudrücken. Wir werden Brasilien in ein entwickeltes Land voller gebildeter Menschen verwandeln.

Rodrigues Alves

Wir werden die Akademische Presse gründen, um politische, rechtliche, pädagogische und persönliche Themen zu diskutieren. Wir müssen einen Apparat aufbauen, der dieses Land wachrüttelt. Deshalb ist die Kenntnis der Gesetze so wichtig.

Afonso Pena

Vielen Dank an alle. Das College war für mein persönliches Lernen von größter Bedeutung. Wir bauen wertvolle Beziehungen auf, die wir ein Leben lang mit uns tragen werden. Wir werden dieses Land bald verändern.

Die politische Karriere von Afonso Peña

Afonso Peña hatte eine glänzende politische Karriere. Er bekleidete folgende öffentliche Ämter: Er war Stadtrat und Bürgermeister der Stadt Belo Horizonte. Er spielte eine große Rolle in diesen Positionen, da er sich durch die Führung, Intelligenz, Überzeugungskraft und den Fortschritt der unteren Klassen auszeichnete. Als Justizminister trug er zum Fortschritt der Nation bei, indem er seine Rechtskenntnisse nutzte, um ein weniger ungleiches und gerechteres Land zu fördern.

Sein großer Höhepunkt war jedoch die Zeit als Präsident Brasiliens in der Zeit von 1906 bis 1909. Seine Rolle war für die Entwicklung des Landes von entscheidender Bedeutung. Wie er es versprochen hatte, bekämpfte er soziale Ungleichheiten, kämpfte gegen die Sklaverei, half der Armut und sorgte für eine konsequente wirtschaftliche Entwicklung.

Afonso Pena kennzeichnete das Land als einen Herrscher, der sich für Gerechtigkeit, Gesundheit und Bildung einsetzte. Diese Zeit war eine Zeit des großen Wohlstands und des Wandels für alle. Aus diesem Grund wird er immer als großartiger Präsident in Erinnerung bleiben.

Erinnern Sie sich an Ihre Herkunft

Wir alle haben eine schöne Geschichte zu erzählen. Im Allgemeinen fangen wir, die wir arm sind, ganz unten an, bis wir studieren, erwachsen werden, arbeiten und ein würdiges Leben führen. Die meisten Menschen kämpfen hart für ihre Träume und ihre Errungenschaften sind das Ergebnis großer Anstrengungen. Wenn wir also etwas erreichen, spielt sich in unseren Köpfen so etwas wie ein Film ab. Es ist die Erkenntnis, dass unsere eroberten Früchte unser großer Preis sind, den uns das Leben gegeben hat.

Ich bin stolz darauf, homosexuell zu sein, arm, aus dem Nordosten Brasiliens. Ich bin stolz darauf, Bettler, Schwarze und Frauen zu mögen. Ich bin stolz darauf, mit Straßenkindern, mit den Ärmsten, Wohltätigkeit zu leisten, meiner Familie zu helfen und mich selbst über alles zu lieben. Ich bin stolz darauf, ein Beispiel für einen unbestrittenen Menschen in seinen Tugenden zu sein. Das Wichtigste an einem Menschen ist also sein Charakter, seine Güte und seine Würde. Das habe ich in Hülle und Fülle.

Eine schöne Geschichte über die Überwindung von Herausforderungen

Heriberto wurde in eine Bauernfamilie im Landesinneren des Bundesstaates Pernambuco geboren. Die Verhältnisse, unter denen er geboren wurde, waren prekär. Die finanziellen und logistischen Probleme waren groß und er musste sich von klein auf an ein einfaches Leben ohne Vergünstigungen gewöhnen. Trotzdem lebte er glücklich mit seinen Eltern und zwei Brüdern auf dem Land.

Ihre Kindheit war schmerzhaft. Zur gleichen Zeit, als ich die öffentliche Schule besuchte, arbeitete ich in kleinen Jobs. Er war Bauer, Maurer, Bauarbeiter, Putzfrau. Alles, was ihm Geld einbrachte und es wert war, stimmte er zu. Er lernte also die Grundlagen des Charakters, der Ehrlichkeit und der Arbeit im Leben.

Während des Gymnasiums und des Gymnasiums wuchs in ihm der Wunsch, Medizin zu studieren. Da seine Familie jedoch sehr arm war, war dieser Traum nur sehr schwer zu erfüllen. Aber es scheint, dass ihm etwas Kraft gegeben hat und er sich entfaltet hat. Er hatte Mühe, in seiner Freizeit zu lernen, und wurde ein engagierter und kompetenter Schüler. Mit der Prominenz in der Schule erhielt er mehr Zuspruch von Lehrern und Eltern, die ebenfalls an seinen Traum glaubten. Und so verging die Zeit wie im Flug.

Es ist Zeit für die Aufnahmeprüfung für das College. Er meldete sich an und bereitete sich drei Monate lang vor. Er machte den Test und wartete auf das Ergebnis, das positiv war. Er wurde in den freien Ämtern der öffentlichen Quoten zugelassen. Das war der Beginn einer großartigen Reise von fast zehn Jahren mit viel Arbeit, täglichen Opfern, vielen finanziellen und persönlichen Herausforderungen. Aber am Ende hat sich das alles gelohnt. Er hat einen Abschluss als Arzt und kann mit seiner Arbeit seinen

Eltern und Geschwistern helfen. Heute ist er der Stolz der Familie und ein Symbol dafür, dass Träume möglich sind. Ein Hoch auf diejenigen, die an Bildung glauben.

Wie sehr mich die Reife verändert hat

Ich habe meine vierzig Lebensjahre vollendet. Es waren genau vier Jahrzehnte mit einem schönen Weg, aber auch voller Schwierigkeiten und Herausforderungen. Wenn ich zurückblicke und sehe, wie sehr ich gewachsen bin, bin ich dankbar für meine Reife im Alter von vierzig Jahren. Heute sehe ich, dass es sich gelohnt hat, jede Sache in meinem Leben zu leben und damit zu wachsen.

Heute habe ich weniger Erwartungen an die Liebe und mehr Rationalität. Diese emotionale Ebene habe ich aber erst nach viel Leid in Liebesablehnungen erreicht. Es gab Jahre des Missverständnisses, der Verzweiflung, des Zweifels. Aber ich bin hierher gekommen, weil ich mir bewusst bin, dass ich, um glücklich zu sein, nur auf mich selbst angewiesen bin und auf niemanden sonst.

Es war gar nicht so einfach. Ich vergoss Ströme von Tränen, als meine Peiniger mich auslachten. Ich litt unter Ablehnung von Kollegen, Schulkameraden, meiner Familie. Niemand versteht den Homosexuellen. Sie sagen, dass sie es respektieren, aber sie gehen weg. Sie wollen keine Art von Kontakt oder Freundschaft. Wir werden nur wegen unserer sexuellen Orientierung aus der Gruppe geworfen. Es ist eine zu verrückte und grausame Welt. Aus diesem Grund ist die Selbstmordrate unter Homosexuellen sehr hoch. Wir verlieren unsere Jugend an Vorurteile.

Aber ich habe Hoffnung. Ich bin zuversichtlich, dass sich die Welt weiterentwickeln wird, aber ich gehe davon aus, dass es aufgrund der religiösen Überzeugungen der Mehrheit kein einfacher Prozess sein wird. Wenn sich die Welt weiterentwickelt, werden wir weniger religiös und menschlicher sein. Wir werden mehr Liebe statt Verurteilung haben. Aber es ist noch ein langer Weg. Mögen die neuen Generationen lernen, ihre Nachbarn mehr zu respektieren.

Wie sieht man einen Liebhaber?

Der Liebende ist der Punkt der Zwietracht und der Freude. Es ist eine Person, die Zuneigung und Liebe braucht, die sich auf eine verheiratete Person einlässt. Ohne auf die Vorzüge der Sache einzugehen, erfüllt der Liebhaber seine Rolle im Leben des betreffenden Paares treu. Einen Liebhaber zu haben bedeutet, dass die Ehe nicht mehr so interessant ist. Einen Liebhaber zu haben bedeutet, dass du die Freude, die du in einer gescheiterten Ehe verloren hast, außerhalb suchen möchtest.

Ich sehe die Figur des Liebenden nicht als Schuldige. Ich sehe den Liebhaber nicht allein verantwortlich für die Zerstörung einer Ehe. Vielleicht ist die Figur des Liebenden die Rettung einer gescheiterten Ehe, denn wenn sie vorbei ist, ist jeder frei, seinem eigenen Schicksal zu folgen.

Ich würde dem Liebhaber zwar keinen Vorwurf machen, aber ich wäre auch keiner von ihnen. In meinem Kopf war ich immer meine Priorität. Es war also nie mein Plan, die zweite Wahl eines Menschen zu sein. Obwohl ich nicht besser sein möchte als alle anderen, bin ich lieber Single, als jemandes Liebhaber sein zu müssen. Es ist einfach eine persönliche Entscheidung von mir.

Kitty war am Meer am Tijuca Beach in Rio de Janeiro. Ihre Tage waren friedlich, ruhig, aber kalt und eintönig, da sie lange Zeit eine alleinstehende Frau war. Viele Jahre lang träumte sie davon, die Liebe zu gewinnen, einen Märchenprinzen ganz für sich allein zu haben. Doch die Jahre vergingen und nichts Konkretes passierte. In dieser Zeit hatte sie flüchtige Beziehungen, die ihrer Stimmung nicht entsprachen. Sie war allein, verloren in Irrfahrten, die sie in einer Blase zurückließen, in der tiefen Dunkelheit ihrer Seele.

Eines Abends lernte sie in einer Bar am Strand einen Mann namens Wenzel kennen. Er war ein sehr gutaussehender, umwerfender Mann mit honigfarbenen Augen, prallen Wangen, großer Statur, männlicher Statur, brauner Haut und einem bezaubernden Lächeln. Die beiden fingen an, sich stundenlang zu unterhalten. Gleich zu Beginn des Gesprächs merkten sie, dass sie eine Affinität und eine gute Chemie zwischen ihnen hatten. Es war erstaunlich, wie zwei Fremde so gut miteinander auskommen konnten. Sie teilten Freuden, persönliche Geschichten, Geheimnisse, Wünsche und Ziele für die Zukunft. Später in der Nacht tauschten sie Telefonnummern und E-Mail-Adressen aus und tauschten sich in den sozialen Medien aus. Es war der Beginn einer vielversprechenden Beziehung.

Kitty erfuhr, dass Wenzel mit einer anderen Frau verlobt war. Trotzdem konnte sie dem Wunsch nicht widerstehen, etwas Größeres mit ihm zu teilen. So wurde sie seine Geliebte. Sie wusste, dass sie sich auf einen schwierigen Weg begab. Sie wusste, dass sie als Hauszerstörerin verurteilt werden würde. Sie wusste, dass es wie ein zweischneidiges Schwert war, ein Liebhaber zu sein. Man weiß nie, was das Ende tatsächlich haben wird. In ihren Augen war das Zusammensein mit ihm eine Möglichkeit, etwas Glück in ihrem Leben zu finden, da sie nie wusste, wie es war, eine

Familie zu haben. Sie hatte es schon lange genötigt, ihr emotionales Bedürfnis zu stillen, und sie sah keine bessere Gelegenheit als diese.

Als die Zeit verging und sie zusammenlebten, wurde die Beziehung zwischen den beiden stärker. Er war ein romantischer, ehrlicher, fleißiger Mann, der sie immer mit großer Zuneigung, Respekt, Bewunderung und Gelassenheit behandelte. Er überraschte sie mit Geschenken zu besonderen Terminen, mit Liebeserklärungen und plante romantische Reisen, um der Routine zu entfliehen. Ihre Beziehung wuchs und sie stritten sich nur noch selten. Etwa drei Jahre lang teilten sie besondere Momente an bezaubernden Orten, voller Kultur und Geschichte, die es zu lernen galt. Sie genossen die Gesellschaft des anderen, Momente des Vergnügens und der Freiheit und schufen unvergessliche Erinnerungen, wo immer sie hingingen.

Nach drei Jahren trennte er sich schließlich von seiner Frau, und sie beschlossen, zusammenzuziehen. So begannen sie, auf der Suche nach einem gemeinsamen Leben. Sie stellten jedoch fest, dass das, was einst bezaubernd war, zur Routine in ihrem Leben geworden war. Die Leidenschaft, die Liebe, die Anziehungskraft, es ging einfach bergab. Damit stellten sie fest, dass sie die Zeit, in der sie ein Liebespaar waren, mehr genossen, weil sie keine Bindung zueinander hatten.

Die Frage, die wir uns stellen, lautet: "Ist der Liebende ein Mensch, der wirklich das Glück anderer zerstört?" Als sie zusammenzogen, entdeckten sie eine schreckliche Wahrheit, nämlich, dass die Ehe kein Kindertraum ist. Vielleicht ist das eine gute Lektion für alle. Vielleicht erkennen sie jetzt, dass sie jemanden verletzt haben, und ernten so das Gesetz der Rückkehr, das niemals versagt.

Zusammenfassend lässt sich sagen, dass die Geschichte von Kitty und Wenzel uns zeigt, dass außereheliche Beziehungen viele schwer verdauliche Folgen haben können und dass es nicht immer die beste Wahl ist, zusammen zu sein. Liebe, Kameradschaft und Romantik mögen gut sein, aber verheiratet zu sein ist eine ganz andere Realität als sporadische Begegnungen. Ein Liebhaber zu sein, kann unser Selbstwertgefühl zerstören, eine langjährige Ehe beenden und doch nur Momente des Vergnügens sein und nicht mehr. Daher ist Fremdgehen nicht die beste Option, um ein Problem in einer Beziehung zu lösen. Es ist am besten, sich zu trennen, zu reflektieren und dann große Entscheidungen zu treffen. Nur dann wird niemand dadurch verletzt.

Können Männer und Frauen Freunde sein?

Ich glaube schon. Mehr als Sex, Heutzutage haben die Menschen dieses Gefühl der Fürsorge und der Zugehörigkeit zu einer Sache. Es gibt Menschen, die wir kennen, die sofort diese schöne Zuneigung spüren, die es bedeutet, Freunde zu sein. Selbst wenn wir verheiratet sind, können wir viele aufrichtige Freundschaften haben.

Das ist aber von Person zu Person unterschiedlich. Es gibt Männer, die ausschließlich sexuell sind und wie Tiere denken. Deshalb nutzen sie die Freundschaft mit dem Opfer aus und wollen mehr. In diesem Fall denken sie also immer an das sexuelle Thema. Aber nicht alle Männer handeln so.

Brauchen Sie einen Rat? Vertraue den Menschen weniger, aber lass sie frei sein. Wenn sie, wenn sie verraten wollen, kannst du sie nicht aufhalten. Wenn du also wirklich die Zuneigung eines Mannes willst, dann lass es spontan sein und erzwinge nichts, denn es lohnt sich nicht, von irgendjemandem um Liebe zu betteln.

Cassandra und Carlos waren seit ihrer Kindheit befreundet. Sie lernten sich in ihrem kleinen Bezirk Bremse im Bundesstaat Pernambuco kennen und verstanden sich auf Anhieb. Am Anfang war ihre Freundschaft geprägt von gemeinsamen Momenten, großen Abenteuern, großartigen Geschichten und einer Affinität und einem Verständnis, die sehr gut waren. Ihre unterschiedlichen Verpflichtungen, ihr Leben selbst, ihre unterschiedlichen sozialen Schichten blieben sie jedoch gute Freunde, obwohl sie ein schönes Gefühl füreinander hatten.

Als sie mit der High School fertig waren, zogen Cassandra und Carlos in eine andere Stadt, versprachen aber, in Kontakt zu bleiben. Sie kommunizierten per Brief, Telefonat, E-Mail und töteten so einen Teil seiner Sehnsucht. Es gab lange Jahre der Verzweiflung darüber, dass wir nicht mehr den gleichen physischen Raum teilen konnten. Aber sie träumten noch von mehr.

Fünf Jahre später trafen sie sich am Fest des Schutzpatrons von Bremse, Heilige Theresia. Es war ein besonderer Abend, mit viel Tanz, Musik, Religiosität und Liebe. Sie blieben zusammen und begannen so eine Beziehung.

Von da an sahen sie sich mit mehr Frequenz. Nach zwei Jahren Beziehung verlobten sie sich. Und ein Jahr später heirateten sie. Wirklich, sie waren sich sicher, dass sie für immer zusammen sein wollten. Sie hatten drei Kinder: zwei Jungen und ein Mädchen. Ihre Liebe war vollkommen in den kleinen Dingen und auch in den großen. Es waren Momente des Glücks, aber auch der Trauer und Enttäuschung. Und so blieben sie zwanzig Jahre zusammen.

Carlos Er starb, aber die guten Erinnerungen blieben. Alles, was sie gemeinsam aufbauten, war ihr Lebenszeugnis. Ja, es ist möglich, eine Ehe auf Freundschaft aufzubauen. Auch wenn das

Leben uns einige Drehungen und Wendungen zeigt, kommen diejenigen, die sich lieben, zusammen, weil Liebe größer ist als alles andere. Wie schön die wahre Liebe ist, und ihre Beispiele geben uns die Kraft, weiter für unser eigenes Glück zu kämpfen.

Es gibt Männer, die ein Doppelleben führen

Es gibt Männer, die zwei Ehen gleichzeitig führen und es manchmal schaffen, dies lange zu verbergen. Sie sind die sogenannten polygamen Männer. Ohne auf die Vorzüge der Ethik des Problems einzugehen, kann ich sagen, dass dieses Doppelleben eine große Farce ist und dem Einzelnen finanziellen und psychologischen Schaden zufügen kann.

Polygamie ist nur eine Art, die Welt zu betrachten. Es ist eine Lebensweise, die den Regeln widerspricht, mit denen wir aufgewachsen sind. Aber für manche Menschen ist es kein Fehler oder eine Sünde. Lasst uns also aufhören zu urteilen und verstehen, dass dies eine andere Art ist, die Welt zu betrachten. Niemand ist jedoch verpflichtet, eine Farce zu akzeptieren. Es gibt also Menschen, die Schluss machen, wenn sie diesen Betrug entdecken.

Sei nicht deprimiert

Bist du sehr traurig? Bist du müde von deiner Routine und allem, was dich umgibt? Fühlst du dich ängstlich und denkst an die Zukunft? Gehe zu einem Psychiater. Es könnte Stress oder der Beginn einer Depression sein. Wenn du so schnell wie möglich nachforschst, hast du die Chance, dich so schnell wie möglich zu erholen.

Manchmal traurig und gefühllos zu sein, ist normal. Was nicht normal ist, wenn die Symptome anhalten. Seien Sie also vorsichtig und beobachten Sie sich eine Weile. Unsere Gesundheit steht immer an erster Stelle. Nichts ist wichtiger als unsere

Gesundheit: kein Geld, keine Arbeit, keine Leistungen. Gott und Gesundheit sind die Säulen unseres Lebens.

Meine persönliche Geschichte als Beispiel für die Bewältigung von Herausforderungen

Liebe Schriftstellerkollegen und Leser, ich bin hier, um mein persönliches Zeugnis zu geben, das auch vielen als Ermutigung dienen kann, die noch am Anfang des literarischen Weges stehen. Mein Traum von der Literatur begann schon in sehr jungen Jahren, in meiner Jugend. Die Stiftung Possidônio Tenório de Brito eröffnete eine gute Bibliothek in meiner Gemeinde und teilte meine Zeit in der Schule, die Arbeit auf den Feldern und das Lesen auf, ich verbrachte meine Tage. Ich habe aufgehört zu zählen, wie viele Büchersammlungen ich in dieser Zeit verschlungen habe. Ein Leser zu sein war wirklich gut, aber ich wollte mehr. Ich bin in dieser Welt der gesunden Träume aufgewachsen. Schon im Erwachsenenalter, im Jahr 2006, als mich ein relativ ernstes gesundheitliches Problem so geschwächt hatte, dass ich mich unzulänglich fühlte, war die Literatur ein Ventil, um mich allmählich von meinen inneren Dämonen zu befreien. Zu dieser Zeit schrieb ich ein kleines Buch auf ein paar Schmierblättern. Damals war es für mich aufgrund meiner ungünstigen Bedingungen undenkbar, einen Computer zu haben. Das war nicht mein Moment. Ich habe meine Entwürfe für einen späteren Zeitpunkt aufgehoben. Im Jahr 2007 habe ich angefangen, mein Buch zwischendurch bei der Arbeit zu tippen und es auf einer Diskette zu speichern. Ich hatte so viel Pech, dass die Diskette durchgebrannt ist. Ich habe das Studium der Mathematik begonnen und meinen Traum wieder einmal beiseite geschoben. Ich habe 2010 mein Studium abgeschlossen und im Jahr darauf meinen ersten Laptop gekauft. Zu diesem Zeitpunkt hatte ich bereits meinen ersten Roman geschrieben und priorisierte seine Schreibarbeit. Ich habe es noch im selben Jahr veröffentlicht. Ich hatte mir meinen Traum erfüllt, ein veröffentlichter Autor zu sein, auch wenn meine finanzielle Situation immer noch katastrophal war. Ich hörte wieder mit meinem Traum auf. In dem Moment, in dem ich nicht mehr damit rechnete, legte ich eine öffentliche Prüfung ab und nahm Ende 2013 die Literatur wieder auf. Allein die Freude der Leser aus meinem Land und anderen Ländern beim Lesen meiner Schriften zu spüren, war all meine Mühe wert. Mein Ziel in der Literatur geht über Geld hinaus, als Einkommen habe ich meinen Job. Es geht darum, Konzepte zu teilen, neue Welten zu transformieren und zu erschaffen, Menschen zu berühren und sie in einer Kultur des Friedens menschlicher zu machen. Es ist der Glaube, dass ich selbst angesichts der normalen Mühsal, der Probleme, die jeder hat, von besseren Tagen träumen kann. Die Literatur hat mich und alle um mich herum völlig verändert. Ich verdanke alles meinem großen Gott, der mich immer unterstützt. Ich werde meine Reise mit dem Glauben in meinem Herzen fortsetzen und dieses Geschenk Gottes für immer verewigen. Deshalb, liebe Kolleginnen und Kollegen, gebt eure Träume niemals auf. Sie können es tun!

Mittlerweile ist es zehn Jahre her, dass ich wieder ununterbrochen schreibe. Ich habe fünfzig Bücher geschrieben und veröffentliche unabhängig in mehr als dreißig Sprachen. Auch wenn ich noch keinen literarischen Erfolg hatte, bin ich für mich schon ein großer Erfolg. Ich bin erfolgreich, weil ich dieser Krieger bin, der bereit ist, alles zu tun, um zu überleben und für seine Familie zu sorgen. Ich bin erfolgreich, weil ich an meine Kunst und die Kraft des Wortes glaube. In diesen siebzehn Jahren literarischer Laufbahn kann ich mit Stolz sagen, dass ich überlebt habe. Ich habe alle Herausforderungen überlebt, die das Leben an mich gestellt hat. Ich glaube weiterhin an mein Talent und arbeite mit viel Energie an meinen literarischen Werken. Ich bin stolz auf jedes Buch, das ich geschrieben habe, denn jedes enthält wertvolle Lektionen. Ich bin stolz darauf, eine Fürsprecherin der LGBT-Gruppe zu sein, gegen Rassismus zu kämpfen, gegen Vorurteile zu kämpfen, die Armen, die Straßenkinder, die Waisen und die

Ausgegrenzten zu verteidigen. Ich bin stolz darauf, ein ehrlicher, großzügiger und wohltätiger Mensch zu sein. Die Welt wäre so viel besser, wenn alle meine Ideale von Gerechtigkeit, Gleichheit und Liebe für alle teilen würden.

Du brauchst niemandes Unterstützung, um zu gewinnen

Hast du genug von deiner Familie, deinen Freunden, deiner Frau, deinen Eltern oder deinem Partner, die dich in deinen Träumen nicht unterstützen? Ich habe eine große Frage an Sie: Erwarten Sie von niemandem Unterstützung. Um deinen Traum wahr werden zu lassen, brauchst du: Planung, Tat, Geld und viel guten Willen. Du kannst einfach weiter gehen, auch alleine auf deinem Weg.

Dein Glaube und deine Hoffnung können diesen Mangel an Unterstützung durch andere ausgleichen. Und dann wirst du glücklich sein, jeden Schritt zu tun, den das Leben dir entgegenwirft. Glaube an Gott, an dich selbst und an dein Talent. Sie können und sind in der Lage, alle Schwierigkeiten zu überwinden. Glauben Sie nicht Ihren Gegnern, die Ihre Arbeit disqualifizieren.

Wenn du auf die Meinungen anderer Leute hörst, bist du nie mehr als nur ein Versager. Reagieren Sie und zeigen Sie allen Ihre großartigen Problemlösungsfähigkeiten. Dann wirst du in dir selbst das Glück finden, nach dem du dein ganzes Leben lang gesucht hast. Kopf hoch und los geht's.

Marcélia war eine schöne junge Frau, die auf dem Land von Piauí lebte und in eine sehr arme und bescheidene Familie hineingeboren wurde. Von Kindheit an bewies sie eine enorme Stärke und eine phänomenale Bereitschaft, sich den üblichen Problemen der Routine zu stellen. Während sich mehrere Kinder in der gleichen Altersgruppe nicht allzu viele Sorgen um die Zukunft machten, war sie mit jedem ihrer Träume beschäftigt. Wir können sagen, dass sie Armut als Treibstoff sah, um diese Realität gewinnen und verändern zu wollen.

Seine Kindheit war alles andere als einfach. Seine Zeit teilte er zwischen Schule, Feldarbeit und Sport auf. Schon als Kind konnte man sehen, dass sie eine junge Frau voller Talent war. Doch der Sieg würde aufgrund seiner prekären finanziellen Lage gar nicht so einfach sein. Die Tage auf den Feldern waren miserabel. Er kämpfte in der glühenden Sonne, ohne Ruhe und ohne Luxus. Was ihr die Kraft zum Kämpfen gab, war ihr Traum, eine Profisportlerin zu werden, eine renommierte Turnerin. Und so verbrachte er seine Tage in großen Schwierigkeiten.

In ihrer Kindheit und Jugend war der Mangel an Unterstützung eklatant. Nicht einmal die Familie glaubte an seine Träume. Aber das Mädchen war da, trainierte und beharrte auf einem Traum, an den nur sie selbst glaubte. Aus diesem Grund hegten viele Menschen eine besondere Bewunderung für sie.

Nach dem Abitur traf sie eine schwierige Entscheidung. Er verließ seine Familie und zog in die Stadt Heiliger Paulus. Dort bekam er sofort ein Stipendium und begann eine gründliche Ausbildung. Gerade als sie sich bereit fühlte, nahm sie an mehreren Turnieren teil und gewann viele Preise. Sie wurde Goldmedaillengewinnerin bei den Olympischen Spielen und überraschte damit alle. Ihr Beispiel zeigt uns, dass ein Traum möglich ist, wenn wir uns bemühen, ihn zu verwirklichen. Deshalb sage ich: Gib niemals deine Träume auf, egal wie verrückt sie auch erscheinen mögen.

Spielen Sie nicht hart in einer Beziehung

Lass es in einer Beziehung ruhig angehen, aber spiele auch nicht zu hart. So wie die Welt läuft, wirst du deinen Freund an eine liberalere Person verlieren. Heutzutage haben Freunde Sex und das ist nicht von dieser Welt. Warum also gegen alle Widerstände vorgehen? Das Risiko ist sehr hoch.

Wir müssen unserem Freund unser Bestes geben. So wie wir geben, empfangen wir auch. Dieser Austausch von liebevoller Energie tut uns also sehr gut und stärkt unseren Geist und unsere Seele. Nun, nutzen Sie diesen Dating-Moment, um das Beste von Ihnen als Paar zu genießen. Es ist eine Zeit, die schnell vergeht, aber es ist eine Zeit des Wachstums, des Lernens und der gemeinsamen Liebe.

Erwachsen zu sein bedeutet, zufällige Gespräche als selbstverständlich zu betrachten

Reife lehrt uns, dass Gespräche wichtig sind. Dieser Dialog muss täglich und mit Werten geführt werden. Verzerrte oder unwichtige Gespräche liegen hinter uns. Wir fangen an, es mehr zu schätzen auf den Inhalt, die Qualität und die Menschen. Wir fangen an, das zu schätzen, was wirklich wichtig ist.

Im Alter von vierzig Jahren hat für mich alles einen besonderen Geschmack. Praktisch mittleren Alters bin ich ein reifer Mensch, der sich seiner Pflichten und Verpflichtungen gegenüber der Gesellschaft bewusst ist. Das sollte mich nicht ersticken, aber es warnt mich vor möglichen Betrügereien. So gehe ich mein Leben mit viel Sorgfalt und Wertschätzung für mein Leben an.

Nun, reif zu sein, lädt uns zu intuitiver Reflexion ein. Was machen wir? Wohin gehen wir? Woher kommen wir? Nur in dir selbst findest du diese erhellenden Antworten. Lassen Sie uns also in dieses innere Meer der Emotionen eintauchen und den unvergleichlichen Geschmack persönlicher Errungenschaften spüren, die wir erreichen können. Es lohnt sich, man muss nur daran glauben.

Vergebung

Jemand, der dir sehr nahe steht, hat dich verraten, getäuscht und verachtet. Ist es möglich zu vergeben? Ist es möglich, wenn derjenige, dem du am meisten vertraust, dir eine Falle gestellt und dich wegen deiner Art, zu sein und die Welt zu sehen, diskriminiert hat?

Es gibt einen Prozess der Trauer, der notwendig ist, damit er sich von dem psychischen Schlag erholt, dem er ausgesetzt war. Es ist jedoch notwendig, sich selbst zu reflektieren und zu hinterfragen. Habe ich irgendeine Schuld an dem, was passiert ist? Habe ich nicht zu viel vom anderen erwartet? Ist es möglich, sich selbst eine zweite Chance zu geben? Nach diesen Überlegungen wird dir alles klarer und du wirst einen Weg haben, dem du folgen kannst.

Mein bester Rat an alle, die diese Art von Frustration erlebt haben, ist, ihr Zeit zu geben. Wie ein altes Sprichwort sagt, heilt die Zeit alles. Warte, bis die Zeit des Sturms und des Zorns vorüber ist. Konzentriere dich darauf, die Emotionen, die dir schaden, aus deinem Verstand zu vertreiben: Hass, Rache, Schuld und Intoleranz.

Es ist wichtig, sich daran zu erinnern, dass der Groll, den der andere hervorgerufen hat, so lange bestehen bleibt, bis du eine Entscheidung triffst: die Tatsache auszulöschen (auch ohne sie zu vergessen) und mit deinem Leben weiterzumachen (dich selbst mehr zu schätzen).

Vergebung: Dies ist der Name der Erleichterung deines Gewissens, es ist das, was dein Herz von allen Sorgen und Leiden befreien wird. Vergeben bedeutet, sich von dem Gift und dem Feuer zu befreien, die dein Vertrauen in andere verzehren. Es ist nicht nur eine Einstellung, es ist eine Lebensentscheidung der Seele, denn diejenigen, die nicht vergeben, haben auch keine Kredite, die Gottes Vergebung verdienen. Aber bist du wirklich bereit zu vergeben? Aufrichtigkeit mit sich selbst ist der erste Schritt, um jemandem vergeben zu können.

Jesu Vergebung der Prostituierten

Vergibst du deinem Nächsten? Vergibst du dir selbst? Bitten Sie Gott um Vergebung? Übst du immer Vergebung aus? Wenn Sie alle diese Fragen mit Ja beantwortet haben, sind Sie auf dem richtigen Weg.

Vergebung befreit uns von dem Gift, das wir mit uns herumtragen. Vergebung befreit uns von Schmerz und Hass. Vergebung bringt uns unbeschreiblichen Frieden. Folgen wir also dem Beispiel des Meisters, der der Prostituierten vergeben hat. Wer sind wir, dass wir über andere urteilen? Wir haben unsere eigenen Fehler, um die wir uns kümmern müssen. Wir haben unsere eigenen Probleme zu lösen. Andere zu verstehen ist also Teil der Vergebung, die wir ständig üben.

Als ich meinen Feinden vergab, verbesserte sich mein Leben sehr. Ich wurde jedes schlechte Gefühl los, das meine Seele überflutete. Ich wurde ein freudigerer, partizipativerer, erfüllterer Mensch. Ich wurde zum Schlüssel zu meinem eigenen Glück. Heute, mit vierzig gelebten Jahren, befinde ich mich in einer guten Phase, mit viel Frieden und Harmonie. Ich hoffe, dass die Zukunft mehr Glück und Errungenschaften bereithält.

Meine dunkle Nacht der Seele war im Zeitraum von zwanzig Jahren bis zu fünfunddreißig Jahren. Ich liebte mich selbst nicht, ich suchte nach dem Sinn des Lebens, ich suchte das Glück in anderen Menschen. Und es war eine Zeit des großen Stolperns, des Schmerzes und der Enttäuschung. Das war der Moment, in dem ich zum Leben erwachte.

Danach, vor etwa fünf Jahren, schloss ich die Möglichkeit aus, die Liebe zu finden. Nach so vielen Ablehnungen und so viel Leid hatte ich die einzige Möglichkeit, mich selbst wertzuschätzen. Heute, nach vierzig Lebensjahren, habe ich das Gefühl, meine beste Wahl getroffen zu haben. Von anderen erwarte ich nichts anderes. Ich kann mein Leben alleine leben, mit großer Freiheit. Ich liebe mich selbst, ich liebe Gott und ich fühle mich gut. Aber dieser Prozess der emotionalen Reifung war alles andere als einfach.

Ich verstehe, dass du sehr unter der Einsamkeit leiden kannst, unter deinen existenziellen Krisen, unter deinen Ängsten, unter deiner Perspektive auf die Zukunft. Allein zu sein ist ein großer Betrug im Leben, aber es kann auch Spaß machen. Wir müssen verstehen, dass es den Märchenprinzen nicht gibt. Wir müssen verstehen: Ein Märchen ist gut anzuhören, aber es bleibt nur im Reich der Ideen. Wir müssen sehen, dass das wirkliche Leben völlig anders ist als das Leben der Romantik in Filmen und Büchern. Und es ist gerade die Kunst, die uns die Tage der Angst überleben lässt. Was wäre das Leben ohne Kunst? Es wäre eine endlose Leere.

Bin ich glücklich in meiner existenziellen Einsamkeit? Ja, auf jeden Fall. Ich bin bei sehr guter Gesundheit, mit viel Freude, mit viel Glück, mit viel Energie. Ich habe gelernt, meinen Tag zu meinem Besten zu machen, und die Dinge werden immer besser für mich. Glücklich zu sein ist meine einzige Option und ich glaube, dass ich auf dem richtigen Weg bin. Möge Gott alle meine Projekte segnen und ich sehr glücklich sein.

Verurteile niemanden in deinem persönlichen Kampf

Wir alle haben unsere Geschichte und unseren persönlichen Kampf. Beurteilen ist einfach, aber das zu leben, was wir leben, nur diejenigen, die in der Haut sind. Ich selbst hatte mein ganzes Leben lang große Probleme zu lösen. Ich selbst musste viel weinen, um all die Gräueltaten zu verstehen, denen ich ausgesetzt war. Ich war in mehreren Jobs ein Versuchskaninchen, aber ich war in keinem glücklich.

Wer ist reich? Reich ist, wer nicht auf Arbeit angewiesen ist. Rico hat seine eigene Wirtschaft und könnte für den Rest seines Lebens von seinem Geld leben. Die Realität der Wenigen und der Neid der Vielen. Wer wünscht sich nicht seine finanzielle Unabhängigkeit? Doch leider ist es gar nicht so einfach, die lang ersehnte Unabhängigkeit zu erreichen. Nur, wenn Sie ein berühmter Geschäftsmann sind.

Ich liebe es, arm zu sein. Ich liebe es, Schriftstellerin zu sein und gute Geschichten zu erzählen. Ich liebe es, die Person zu sein, die ich bin. Schon in jungen Jahren lernte ich die guten Dinge im Leben. Von klein auf habe ich gelernt, ehrlich zu sein. Von klein auf habe ich gelernt, Gutes zu tun. Seit ich klein war, hatte ich Liebe in meinem Herzen. Und so habe ich das Leben von Millionen von Menschen verändert.

Deshalb verurteile ich niemanden. Tatsächlich spreche ich nicht einmal schlecht über Menschen. Wenn ich nicht helfen kann, stehe ich auch nicht im Weg. Ich tue es so, weil ich an das Gesetz der Rückkehr glaube, das für alle gilt. Heute gut säen und morgen Erfolg ernten. Heute gute Samen pflanzen, richtig gießen und sehe, wie es Früchte trägt. Nur Sie werden wissen, wie wichtig es ist, Ihre Errungenschaften zu haben, die nicht vom Himmel gefallen sind. Nur Sie werden wissen, wie der Sieg schmecken wird, nachdem Sie so lange gewartet haben. Nur Sie wissen, wo sich die Hornhaut zusammenzieht. Feiern Sie also Ihren persönlichen Erfolg und mögen immer mehr Siege kommen.

Was verlangt Gott von uns?

Gott verlangt von uns kein großes Opfer. Nur, dass wir gute Jünger der Guten sind. Wenn wir wissen, dass das, was wir tun, richtig ist, dann ist unser Gewissen klarer. Wie gut ist es, mit sich selbst im Reinen zu sein und die emotionale Kontrolle über die Dinge zu haben. Ein Anführer seiner selbst zu sein, erfordert eine mutige und entschlossene Haltung. Ein Protagonist deiner Geschichte zu sein, erfordert eine eigene Liebe und Qualität des Individuums. Schreibst du deine Geschichte richtig?

Was verlangst du von dir selbst? Und was machst du, um jeden Tag glücklich zu sein? Die Antwort auf diese Fragen kann dir eine richtige Richtung im Leben geben. Wenn wir unseren Wert verstehen, wenn wir in der Lage sind, für uns selbst zu kämpfen, wenn die Liebe in uns aufblüht, werden wir bereit sein für den nächsten Schritt.

Was erwartet das Leben von dir? Du hast dich um deine Spiritualität gekümmert und um die Art und Weise, wie du Stehen Sie vor Ihren Hindernissen? Es ist wichtig, jeden Schritt unseres Lebens zu verstehen, um unsere Zukunft zu planen. Was wir nicht tun können, ist, den Glauben an Gott, den Glauben an das Leben und den Glauben an uns selbst zu verlieren. Der Glaube ist das, was Berge versetzen und Wunder vollbringen wird.

Dies sind wichtige Tugenden, um die Chance auf Sieg und Fortschritt am Leben zu erhalten, um Träume wahr werden zu lassen. Jedes Projekt stellt zunächst nur einen Wunsch, ein Ziel dar, das es zu erreichen gilt. Der nächste Schritt besteht darin, dafür zu kämpfen. In diesem Moment darf man angesichts von Stolpersteinen und Hindernissen nicht aufgeben, sondern mit Mut und Hoffnung neu beginnen.

Die Hoffnung ist ein Hauch frischer Luft für den Geist, sie sehnt sich nach der Hilfe des Schicksals, sie sammelt Kraft. Nicht die passive Hoffnung, sondern der Anstieg des Handelns, der Zusammenarbeit und der Organisation. Wenn du dieses Stadium erreichst, musst du Vertrauen haben. Glaube daran, dass alles möglich ist, habe Vertrauen. Der Glaube ist die Eigenschaft, die den Sieger vom Verlierer, den Gläubigen vom Ungläubigen, den Gläubigen vom Ungläubigen, den Narren vom Törichten, den Gerechten vom Ungerechten unterscheidet.

Glauben zu haben bedeutet, einen Blick in die Zukunft in der Gegenwart zu werfen, es bedeutet, eine Realität zu fühlen, die für andere unsichtbar ist, es bedeutet, das Projekt des Schöpfers anzunehmen und daran teilzunehmen. Der Glaube öffnet die Türen der Heilung (des Körpers und der Seele), erschüttert und entfernt die Fundamente des Unglaubens, befreit den Geist (von böser Unterdrückung und negativen Gedankenströmungen).

Glaube und Hoffnung ergänzen sich also und bilden in uns eine Kraft, die unser Leben und unsere Beziehung zu Gott verändert.

Romantisch zu sein bedeutet, höflich, freundlich und gentlemanlike zu sein. Romantisch zu sein bedeutet, sich in einer Beziehung wirklich hinzugeben. Allerdings mag nicht jeder einen romantischen Mann. Hier ist also ein kostenloser Ratschlag: Sei wirklich das, was du bist. Wenn du anderen nicht gefällst, dann habe Geduld. Zumindest sich selbst eine Freude machen.

Ich bin eine Mischung aus Romantiker und pragmatischer Mensch. Ich bin die Mischung aus Moderne und Antike. Ich bin die Mischung aus Fürsorge und Freiheit. Ich bin also ein Gleichgewicht zwischen dem Rationalen und dem Sentimentalen. Nicht, ob das das Richtige ist, aber das ist es, was ich vorschlage.

Romantisch zu sein ist in den heutigen Beziehungen nicht immer ideal. Ich denke, Romantik gehört eher der Vergangenheit an. Lassen Sie uns also heute das wirkliche Leben und sehen, was unsere wirklichen Möglichkeiten sind. Lasst uns sofort glücklich sein, bevor die Zeit vergeht und uns mitreißt. Das Leben vergeht viel zu schnell. Das Leben ist zu wichtig, als dass wir uns darin verlieren könnten.

Finale

Milton Keynes UK
Ingram Content Group UK Ltd.
UKHW010241221123
432980UK00002B/253